Bella Andre

Por um momento Apenas

Tradução

Ana Paula Doherty

Novo Conceito

Publicado sob acordo com o autor, c/o BAROR INTERNATIONAL, INC., Armonk, New York, USA

Esta é uma obra de ficção. Nomes, personagens, lugares e acontecimentos descritos são produtos da imaginação do autor. Qualquer semelhança com nomes, datas e acontecimentos reais é mera coincidência.

5ª Impressão — 2013

Produção Editorial
Equipe Novo Conceito
Impressão e Acabamento Geográfica 171013

Este livro segue as regras da Nova Ortografia da Língua Portuguesa.

Dados Internacionais de Catalogação na Publicação (CIP)
(Câmara Brasileira do Livro, SP, Brasil)

Andre, Bella
Por um momento apenas / Bella Andre; tradução Ana Paula Costa Doherty.
-- Ribeirão Preto, SP: Novo Conceito Editora, 2012.

Título original: From this moment on
ISBN 978-85-8163-194-3

1. Ficção norte-americana I. Título.
12-12685 CDD-813

Índices para catálogo sistemático:
1. Ficção : Literatura norte-americana 813

Rua Dr. Hugo Fortes, 1.885 — Parque Industrial Lagoinha
14095-260 — Ribeirão Preto — SP
www.editoranovoconceito.com.br

CAPÍTULO UM

Marcus Sullivan tinha uma missão a cumprir.

Vinte minutos antes, saíra da festa de noivado de seu irmão rumo ao bochicho no centro do bairro de Mission, em São Francisco. A batida da música dançante ecoava pela rua, tão alta que a multidão esperando na fila já estava dançando.

Couro e piercings, tatuagens e cabelos fluorescentes não faziam parte do ambiente a que Marcus estava acostumado. No entanto, pelo menos os homens e mulheres na fila, com argolas atravessando o nariz e as sobrancelhas, pareciam felizes e satisfeitos.

Marcus tinha planos de estar muito mais satisfeito nas próximas horas.

Ele passou pela longa fila e, apesar de estar usando terno e gravata, o segurança olhou-o de cima a baixo e abriu o fecho da corda para deixá-lo entrar. Marcus era um homem grande e, embora não se valesse de seu tamanho para intimidar as pessoas, não hesitava em usar quaisquer recursos que tivesse à sua disposição quando deles precisasse.

O bate-estaca da música fez seu corpo pulsar quando atravessou a passagem escura e entrou na boate lotada, mas a música alta e as luzes intermitentes nem de longe conseguiram dispersar seus pensamentos.

Não era por isso que ele estava ali; não estava ali para esquecer o que vira.

Não, ele não queria esquecer, não se permitiria cometer o mesmo erro novamente.

Marcus estava ali para recuperar os anos perdidos. Dois anos antes, conhecera Jill na cidade, em uma noite quente de agosto, em um evento de caridade que a empresa dela estava patrocinando. Assim que ele colocara os olhos sobre sua beleza loira e fria, sabia que havia encontrado a peça do quebra-cabeça de sua vida até então bem organizada. Com Jill, ele vislumbrara um futuro: casamento, filhos, jantares importantes em sua vinícola com a esposa perfeita a seu lado. Mas, naquela tarde, descobrira que tudo estivera muito aquém da perfeição...

Marcus podia ouvir gemidos enquanto virava a chave no ferrolho da porta do apartamento de Jill. Parecia um filme com volume muito alto nas partes mais picantes, porém Marcus tinha certeza de que não; já sabia o que vinha ocorrendo havia meses, se é que estava sendo honesto consigo mesmo.

Abriu a porta e atravessou o apartamento de sua namorada, os gemidos aumentando a cada passo que dava.

— Aaah, assim mesmo! Bem aí! Assim, assim!

Jill sempre gostara de gritar na cama, mas ele nunca havia se dado conta do quanto tudo soava falso, agora que estava assistindo ao show de um lugar menos privilegiado. Cerrou os punhos enquanto dava a volta pela cozinha e foi em direção ao quarto dela.

Tempos atrás, pedira a ela que se mudasse para Napa para viver com ele em sua vinícola, mas Jill sempre tinha uma razão para não ir. A última desculpa fora que seu apartamento atual era um achado, praticamente a um quarteirão de sua empresa de planejamento financeiro, que frequentemente precisava dela às 4h40 da manhã. Ela disse que ele poderia ficar lá quando bem quisesse.

Marcus nunca se sentira à vontade no apartamento dela, tudo em tons frios de branco, com superfícies espelhadas ou de vidro que ficavam com marcas de dedos ao menor toque. Entretanto, queria um futuro com ela e achara que isso significaria abrir mão de algumas coisas, assumir compromissos.

Quantos fins de semana ele havia ido à cidade para ver Jill quando era conveniente para ela? Quantas vezes ele havia mudado sua agenda totalmente em menos de um segundo para estar com ela em um momento de necessidade?

Vezes demais.

Mas nunca, nenhuma vez, havia entrado em um show pornô ao vivo, estrelado pela própria namorada.

Ela estava montada no cara como se ele fosse um garanhão selvagem, e ela, uma estrela de rodeio.

Ele viu a pele nua, as pernas e braços — que inferno, não tinha como não vê-los da porta do quarto —, mas era como se os estivesse observando de uma distância clínica, como se estivesse em um hotel e, subitamente, surgisse um filme pornô na TV a cabo.

— Que merda é essa? — O cara embaixo de Jill olhou para Marcus com medo. Claramente, não esperava que alguém entrasse de repente.

Foi quando Jill se mexeu ligeiramente para olhá-lo por sobre os ombros. Os olhos dela se arregalaram no que era para ser uma surpresa. Porém, ele a conhecia bem o suficiente para enxergar além daquilo. Pelo menos ele achava que a conhecia.

Quanto do relacionamento deles havia sido uma mentira?

Jill se mexeu para puxar um lençol sobre ela e o amante. Marcus observou os corpos escorregarem enquanto se separavam, olhando o cara alcançar a lateral da cama para colocar a calça jeans.

— Vou dar o fora daqui! — o cara disse, mas Jill segurou a mão dele e o fez ficar na cama.

— Não, Rocco, não precisa ir embora.

Rocco? Sua namorada de beleza clássica, a mulher com quem planejara se casar e construir uma família, a mulher com quem pretendia compartilhar a direção da Vinícola Sullivan, estava transando com um cara chamado Rocco, com um cavanhaque horroroso e piercings? Só podia ser uma piada de muito mau gosto.

O cara olhava para eles, ficando pálido ao pousar os olhos sobre os punhos cerrados de Marcus e ao perceber a maneira como os ombros dele ocupavam quase todo o espaço da porta.

Jill deixou o lençol cair e se enfiou em um robe de seda que estivera jogado sobre uma cadeira no canto do quarto. Ela foi em direção a Marcus.

— Acho que devemos conversar na sala.

De algum modo, ela passou por ele sem tocá-lo, mas Marcus podia sentir o cheiro de sexo nela; podia sentir nela o cheiro de outro homem.

Ele queria enfiar a mão na cara do sujeito. Mas Jill havia arquitetado tudo isso, do começo ao fim. Então, em vez disso, teria que se entender com ela.

Marcus voltou pelo corredor até a sala, onde Jill esperava por ele.

Ela não parecia culpada. E, pela primeira vez, ele também não a achou bonita. Sim, ela tinha uma beleza clássica, alta e esguia... No entanto, havia uma feiura estampada no rosto dela que ele nunca vira antes.

— Estou apaixonada pelo Rocco.

Que desculpa esfarrapada!

Diante do silêncio dele, ela continuou na defensiva:

— Você e eu sabemos que nosso relacionamento não ia dar em nada.

Finalmente, ele respondeu:

— Você disse que precisava de um tempo. Eu dei um tempo; tempo suficiente para você me trair. Com o Rocco.

Os olhos de Jill se arregalaram diante da fúria mal contida na voz dele. Ele nunca falara com ela assim antes, nunca fora o tipo de homem que ergue o tom de voz para impor uma opinião; nunca fazia pressão para conseguir o que queria. Conseguira chegar aonde estava trabalhando muito, sendo inteligente, usando o bom senso e jogando um pouco do charme dos Sullivans quando necessário.

— Olha — ela disse com um suspiro irritado, como se ele fosse o culpado por se encontrarem naquela situação embaraçosa —, essa coisa entre nós foi boa durante um tempo, mas, se estivéssemos realmente apaixonados, já teríamos nos casado.

Ele ergueu uma sobrancelha e retrucou:

— Você sabe que eu queria casar.

Ela balançou a cabeça.

— Se quisesse casar comigo de verdade, teria me conquistado a ponto de eu não ser capaz de resistir. Mas você estava sempre ocupado com seus irmãos e irmãs, sempre ajudando sua mãe com alguma coisa. — Sendo honesta pela primeira vez, ela continuou: — Tentei amar você, Marcus. De verdade, eu tentei. Mas queria algo mais. Algo maior. Algo fantástico. Quero alguém que me coloque acima de tudo. — Os olhos dela se iluminaram enquanto dizia: — Quero o que tenho com o Rocco. Não quero me sentar ao seu lado usando pérolas em eventos na vinícola. E não quero ser sempre a coisa menos importante da sua vida.

Marcus olhou fixamente para a mulher que havia imaginado que seria sua esposa, a mãe de seus filhos. O colar de pérolas que havia dado a ela ainda estava em seu pescoço; fora a única coisa que ela usara enquanto transava com outro homem.

Ele ainda queria meter a mão na cara de Rocco e queria arrancar as pérolas do pescoço de Jill e observá-las espalharem-se pelo chão. Em vez disso, disse:

— Vou mandar minha assistente pegar minhas coisas na semana que vem. Ela vai entrar em contato com você para marcar um horário conveniente.

— Está vendo?! — Jill caminhou até ele neste momento, o dedo firme enfiado no peito dele, o robe dela entreaberto sobre os seios.

Em outras épocas, já havia adorado aqueles seios pequenos e achava que tinham uma beleza tão clássica quanto o restante dela. Agora, eles já não lhe causavam nada; menos que nada.

— É por isso que não posso ficar com você. Onde estão suas emoções? Onde está sua paixão? Aposto que se importa mais com suas uvas do que comigo. E tenho certeza absoluta de que se importa mais com seus irmãos e irmãs do que comigo. Esta é sua chance, Marcus! Não consegue perceber que, se for embora agora, se não conseguir me dizer que pelo menos vai tentar me colocar em primeiro lugar, você vai me perder para sempre?

Foi então que ele se deu conta de que, apesar de toda a raiva e de toda a fúria por ter sido traído, não queria lutar por Jill. Ele havia levado dois anos para perceber que, na verdade, não a amava. Amava a ideia dela, e só.

— Adeus, Jill.

Enquanto Marcus emergia de seus pensamentos mais profundos, a música mudou de um bate-estaca para uma melodia mais lenta e ritmada. Ele planejara buscar Jill para a festa de noivado de Chase e Chloe naquela noite, mas fora sozinho. Que idiota havia sido, esperando dois anos para que Jill tomasse uma decisão. Esperando que ela estivesse "pronta" para se comprometer totalmente com ele e com a vida que ele sonhara para os dois.

Marcus sabia que o amor existia. Já o havia visto entre seu pai e sua mãe; sentia-o em cada olhar que Chase lançava para Chloe, em cada toque entre seu irmão e a noiva.

Mesmo assim, isso não queria dizer que Marcus estivesse pronto para tentar de novo tão cedo. Uma boa e longa pausa longe de suas emoções e de seus planos era tudo de que precisava. Um dia ele ainda esperava encontrar uma mulher que fosse uma boa esposa para ele, uma boa companheira e uma boa mãe para os filhos que queria ter.

Mas não agora; não em um futuro próximo.

Esta noite, só queria prazer. Queria uma longa noite de sexo sem culpa e sem sentimentos, com alguém que não quisesse saber de seus desejos nem de seus sonhos. Uma mulher que não quisesse saber sobre sua família tanto quanto ele não queria saber sobre a dela. Uma mulher que apenas quisesse ir para um hotel e transar até cansar. Se não soubessem nem os nomes um do outro, seria perfeito para ele.

Os casais roçavam uns nos outros no ambiente escuro onde suor, álcool e sexo se misturavam. Marcus caminhou ainda mais para dentro na escuridão até ficar parado em um ponto alto, observando a pista de dança e analisando a multidão com olhos clínicos.

Nicole Harding estava em pé na janela da suíte de sua cobertura olhando para a Union Square em São Francisco, observando as pessoas caminhando lá embaixo.

Ela era jovem e solteira. Deveria estar lá fora com elas. Seis meses antes, estivera jantando em algum restaurante da moda, cercada por bajuladores que tentavam fazê-la rir, fazê-la gostar deles. Porém, aprendera, da pior maneira possível, que não era por ela que eles estavam interessados.

Nicole Harding, que gostava de jogar Banco Imobiliário e fazer castelos de areia, era uma pessoa desimportante. Todos queriam uma parte de

Nick; queriam dizer que estavam saindo com uma celebridade. Queriam tirar fotos dela com o celular para depois passarem mensagens de texto aos amigos.

Ela se afastou da janela e voltou-se para a enorme suíte. Era grande demais para uma pessoa só, mas a gravadora achava que colocá-la em um lugar como esse para gravar um clipe e fazer um show significava tratá-la bem. Ninguém podia imaginar o quanto se sentia sozinha; uma mulher pequena em uma suíte gigantesca que poderia acomodar sua família inteira e ainda sobraria espaço.

E a verdade era que, se fosse uma estranha lendo notícias sobre ela, certamente nunca pensaria na palavra solidão para descrevê-la. Uma baladeira seria a palavra mais apropriada. Pois, de alguma forma, a cada evento ela era fotografada com um homem famoso diferente. Acordava de manhã e ligava o computador para descobrir que diziam que estava, sistematicamente, subindo ao topo da lista do Top 40 e conquistando Hollywood porque dormia com todo mundo.

Sua gravadora e as pessoas de relações públicas, assim como seus agentes, haviam dito tantas vezes que "qualquer publicidade é boa" que ela parara de defender sua inocência diante deles. Além disso, sabia que não acreditavam nela, não depois de verem as fotos que vazaram na internet após as festas do ano anterior, fotos horríveis que ainda pareciam surgir do nada, cada vez que ela pensava que haviam sido finalmente enterradas.

Depois de trabalhar quase 24 horas por dia durante anos, tentando fazer as pessoas ouvirem sua música, havia ficado muito feliz ao ver seu trabalho dar frutos, com seu primeiro sucesso no verão anterior. Embora todos houvessem avisado que, se não fosse cuidadosa, esse negócio sugaria até sua última gota de sangue, achou que seria diferente com ela, que era esperta o bastante para cercar-se só de pessoas boas.

Até o dia em que confiou na pessoa errada.

No início, Kenny fora tão encantador e tão meigo que ela se apaixonara loucamente por ele. No entanto, ele usava as emoções como moeda de troca, fazendo Nicole perceber que a única maneira de mantê-lo feliz — e ter certeza de que a amava — era fazendo concessões às vontades dele.

Que burra!

Desde então, mais de mil vezes, não, mais de um milhão de vezes, ela havia se perguntado como pudera ser tão ingênua. Ingênua a ponto de ter ficado completamente chocada quando ele vendera sua história sobre as noites selvagens com a estrela pop, recheada de fotos que havia tirado dela com o celular, em segredo.

Bem, aprendera a lição. Com certeza.

Nunca mais confiaria em alguém com tanta facilidade, especialmente em homens belos e persuasivos.

Nicole deu uma olhada no espelho de corpo inteiro na parede da sala e viu-se em calça de ginástica e camiseta. Ah, mas que bela baladeira ela era! Depois de um dia exaustivo ensaiando a coreografia para o clipe que gravariam na sexta-feira, seu grande plano incluía assistir à maratona de *Laverne & Shirley* na TV a cabo, debaixo das cobertas.

A campainha da porta tocou e ela notou que havia se esquecido do sorvete que pedira ao serviço de quarto. Em uma noite como esta, simplesmente não tinha energia para se importar que o funcionário do hotel a visse sem maquiagem e que fosse, logo depois, ao Twitter para contar isso ao mundo.

Sem a menor sombra de dúvida, sorvete de chocolate era sua última esperança esta noite.

Ela abriu a porta.

— Oi.

O rapaz olhou para ela e então, literalmente, olhou por cima de seus ombros, procurando pela verdadeira Nick. Finalmente voltou a olhar para ela, o rosto se contorcendo em uma tentativa de reconhecê-la enquanto a olhava.

— Aqui está seu pedido, Nick.

Deu um passo para o lado para que ele pudesse empurrar o carrinho com a bandeja, ainda que pudesse ter pegado o pote de sorvete com a maior facilidade.

— É exatamente da marca que pediu. Meio litro.

— Obrigada. — Pegou a caneta que ele lhe ofereceu para assinar o recibo e sentiu, como raios laser, os olhos do rapaz em seu traseiro dentro da confortável calça de ginástica. Durante os últimos dez anos, vinha sentindo os olhos de um homem após o outro, desde que, em uma bela manhã, acordara munida de seios e quadris.

Ela não se importava com o olhar malicioso. O que a irritava eram os pensamentos que vinham com ele; só porque ela tinha o P&B que fazia os homens babarem, não queria dizer que iria para a cama com eles indiscriminadamente.

Ela não era uma vagabunda, não importava o que o mundo pensasse.

Foi devolver a caneta, mas o rapaz estava ocupado demais olhando provocativamente para seu peito e não percebeu.

Nicole sempre fazia questão de ser agradável com os funcionários de qualquer lugar onde estivesse. Não fazia tanto tempo que ela mesma servia mesas e limpava quartos de hotel enquanto esperava ser "descoberta".

Mas esta noite ela estava longe de querer ser agradável.

— Aqui está. — Ela enfiou a caneta na mão do rapaz, foi até a porta e abriu-a para ele.

O funcionário moveu-se vagarosamente até a porta, enquanto ela contava os segundos para que saísse, quando ele perguntou:

— Está sozinha esta noite?

Puxa vida! Será que precisava passar por essa situação desagradável só para conseguir tomar um sorvete?

— Já tenho planos, obrigada.

Ele assentiu, mas ela não gostou do que viu nos olhos dele.

— Meu namorado vai chegar daqui a pouco — mentiu.

— Bom, se precisar de companhia mais tarde...

Passara dos limites e ela não hesitou em bater a porta na cara dele. Depois de fechar o trinco, resmungou:

— Canalha.

O pote de sorvete já estava começando a suar sobre o grande carrinho prateado, porém a vontade dela tinha passado.

Não era justo. O mundo inteiro achava que ela era uma vagabunda quando, na verdade, só havia feito sexo com dois caras. Brad, do segundo colegial, no banco de trás do carro do pai dele. E, depois, Kenny, porque pensara que eles se amassem.

Pior ainda, nenhum de seus ex-amantes foram grande coisa. Brad ela podia perdoar, pois havia sido a primeira vez para os dois e o local fora horrível. Mas Kenny, ela finalmente percebera, simplesmente não havia se importado em fazê-la sentir-se bem. Ele fora egoísta o tempo todo e ela alimentara esse sentimento, tentando agradá-lo constantemente para que ele a amasse mais.

Se pelo menos algum dia houvesse conhecido algo próximo de um prazer verdadeiro, talvez não ficasse tão ressentida sobre sua reputação. Talvez, então, pudesse ser digna dela. Ou talvez pudesse realmente se sentir a mulher sexy que representava na capa de seus discos e em seus clipes de música. Ou talvez não houvesse feito sua coreógrafa, Lori, ficar até tão tarde da noite com ela, muito além do normal, quando deveria tê-la deixado ir embora para ir à festa de noivado de seu irmão.

De repente, um impulso maluco tomou conta dela: já que nunca conseguiria se livrar de sua reputação, que tal sair e realmente fazer jus a ela?

Nicole sempre fora impulsiva, desde criança. Os relatórios escolares sempre diziam a mesma coisa: "Nicole é uma garota inteligente, mas às vezes age sem pensar".

Tudo bem, ela pensou enquanto jogava várias peças de roupas sobre a cama e tentava achar o que cairia melhor para o objetivo que tinha esta noite: provar que aprendera a lição sobre confiar em canalhas.

Obviamente que ela um dia desejaria amor. Amor fiel e verdadeiro. No entanto, estava cansada de viver como uma freira, cansada de, a toda hora, tentar convencer as pessoas de que não era uma baladeira doida, mesmo quando todos achavam que era.

Ela queria saber, só por uma noite, o motivo de tanta falação. Queria encontrar um homem para dividir suas paixões, um homem de verdade, com experiência suficiente para levá-la a um lugar onde nunca estivera antes.

Seu coração batia forte enquanto tirava a calça de ginástica e a camiseta e se enfiava em um curto vestido tomara que caia de couro. Um movimento errado para qualquer direção e o P&B pelo qual era tão conhecida escaparia para o mundo todo ver.

E, de repente, Nicole não ligava mais para nada. Qualquer coisa seria melhor que aquela solidão devastadora.

Quer dizer que sairia na capa de outro tabloide? Grande coisa. Como se isso nunca houvesse acontecido antes. E ela havia sobrevivido. A quase tudo, de qualquer maneira.

CAPÍTULO DOIS

Marcus era conhecido por sua grande paciência. Depois de ajudar a criar seus sete irmãos, ele aprendera que as manhas, as brigas e até mesmo as lágrimas são passageiras.

Porém, esta noite, ele estava completamente sem paciência.

Já havia observado as mulheres dançarem tempo suficiente para saber que não levaria nenhuma delas para a cama. Nem uma só das mulheres que haviam atravessado a pesada cortina vermelha nos últimos 30 minutos estava no páreo.

Até que, de repente, a cortina se abriu... e ela entrou.

Marcus sentiu como se houvesse levado um soco no estômago.

Ela era jovem, provavelmente uns 20 e poucos anos, e tão linda que quase doía olhar para ela. O vestido preto de couro não deixava espaço para a imaginação, ajustado nela como uma segunda pele, com fendas largas que desciam por suas curvas enlouquecedoras.

Ela era a tal.

Quando ela parou na porta e analisou lentamente a multidão, todos os olhos se voltaram para ela; era magnética, tinha algo especial que tornava impossível tirar os olhos dela.

E então os olhos dela encontraram os dele, iluminados por um feixe de luz no ambiente escuro, e, embora na festa de noivado de Chase Marcus não houvesse bebido a ponto de perder o equilíbrio, olhar para dentro daqueles olhos azuis cristalinos o fez cambalear.

O que havia de errado com ele?

Ele precisava lembrar, a todo momento, o objetivo da noite. Sexo. Prazer. Sem sentimentos. Sem compromisso. E não era problema se algumas partes de seu corpo abaixo da cintura reagissem como se um fósforo houvesse sido aceso só de olhar para aquela mulher. Isso era tudo o que importava. Não estava procurando uma mulher para respeitar. E ele, definitivamente, não se apaixonaria.

Marcus deixou seu olhar repousar sobre o minúsculo vestido de couro da mulher. Não lhe pareceu que respeito seria um problema.

As curvas perigosas começaram a se mexer sob a fina camada de couro e ele percebeu que ela estava caminhando, diretamente até ele, sem parar nenhuma vez, mesmo naqueles saltos agulha inacreditáveis.

Marcus desviou os olhos daquele corpo que exalava sexo e não lhe passou despercebido o olhar provocador da mulher, um olhar que perguntava se ele era homem o bastante para encará-la.

Ele fora para a balada naquela noite para encontrar uma mulher, para fazer uma proposta indecente, para tomar posse dela em uma dessas noites de loucuras sem limites. Mas, em vez disso, parecia que ele é quem seria conquistado.

Ele sempre gostara de mulheres altas e magras e não das que mal chegavam à altura de seu peito como aquela. Uma voz em sua cabeça dizia que ela era jovem demais para ele; se fosse qualquer outra noite, nem chegaria perto dela. Que inferno! Se as coisas houvessem acontecido conforme planejara nos últimos dois anos, ele nem mesmo estaria ali.

Mas estava.

E não planejava deixar de lado o que essa mulher tinha a lhe oferecer. Pelo menos, não até o dia raiar.

E, definitivamente, não até fartar-se daquelas curvas.

Meu Deus, como ele era lindo!

E, por falar em grande e forte, como se os ombros largos e o rosto maravilhoso não bastassem, ele se sobressaía do resto da multidão mal-ajambrada com sua calça social e camisa bem passada, claramente não estando nem aí por ser diferente de todo mundo.

Ele era o tal.

A luta para entrar com todas aquelas pessoas implorando para tirar fotos e pegar autógrafos fora quase o suficiente para fazê-la voltar para o táxi e ir se esconder no hotel de novo. O que havia passado pela cabeça dela para ir até uma boate "à caça" de um homem? Especialmente quando ela sabia muito bem que as fotos dela e do homem estariam na internet em questão de horas?

No entanto, não fazia ideia de onde mais procurar, nem de aonde mais ir. E, esta noite, simplesmente não se importava com o preço da fama, com as consequências inevitáveis do que estava fazendo. Não quando uma noite longa e solitária era tudo que a esperava em sua suíte no hotel se desse meia-volta e fosse embora.

Mais que satisfeita por não ter desistido na última hora, Nicole praticamente lambia os lábios enquanto se aproximava dele.

Era puro instinto tentar parecer mais atraente. Ela levantou os seios e rebolou mais um pouquinho. Sim, ela sempre lamentava, em silêncio, por ter que usar sua sensualidade para conseguir as coisas, mas, já que funcionava tão bem, o que podia fazer?

E realmente queria que a noite desse certo. Sobretudo agora, quando finalmente encontrara um homem que ela definitivamente tinha que possuir.

Esperou que dissesse o nome dela, que aquele lampejo de reconhecimento aparecesse nos olhos dele. Contudo, quando após longos segundos não aconteceu nem uma coisa nem outra, por fim passou por sua cabeça que ele poderia não saber quem ela era.

Ou, pensou com o cinismo que se instalara profundamente dentro dela, talvez só estivesse fingindo indiferença por achar que isso lhe aguçaria o interesse.

— Olá, sou a Nicole.

O verdadeiro nome dela saiu antes que percebesse. Havia tantos anos que ninguém, exceto seus pais, a chamava de outra coisa a não ser de Nick, que o nome lhe pareceu estranho na língua; e agradável, também.

Ela esperou que ele a corrigisse, que ficasse surpreso por ela não se apresentar como Nick. Em vez disso, ele simplesmente repetiu o nome dela:

— Nicole.

Sua voz baixa e rouca a deixou arrepiada, calafrios de excitação literalmente percorrendo seus braços, apesar do úmido calor da boate, que emanava dos corpos em movimento.

Estudou-o tempo suficiente para confirmar que ele não tinha a menor ideia de quem ela era, que não havia um pingo de reconhecimento em seus olhos profundos. Nada que lembrasse a maneira como o rapaz do hotel olhara para ela, como se estivesse louco para dizer que havia transado com uma estrela famosa.

Será que havia topado com a única pessoa na face da Terra que não fazia ideia de quem ela era?

Era sorte demais para ser verdade.

Obviamente sua sorte duraria pouco em um lugar público. Desde que entrara, todos os olhos se voltaram para ela; e, agora, para os dois. Normalmente ela não se importaria; estava acostumada a ser observada.

Mas, de repente, ela queria mais que uma noite de sexo quente com um homem maravilhoso. Queria passar por essa experiência como Nicole, não como Nick. E isso queria dizer que precisavam sair dali imediatamente, antes que alguém viesse pedir um autógrafo ou quisesse tirar uma foto com ela.

— Não estou muito a fim de dançar esta noite — ela começou antes de se dar conta. — Não sei seu nome.

Nicole gostou do jeito como ele esticou a mão e afastou uma mecha de cabelo dos olhos dela. Gostou mais ainda quando ele disse:

— Meu nome é Marcus. E eu também não estou muito a fim de dançar.

Ela imaginou que houvesse muitas coisas para dizerem um ao outro. Coisas do tipo: *Não acha melhor sairmos daqui?* ou: *Por que não voltamos para o meu hotel?* Mas, surpreendentemente, Nicole percebeu que aquelas perguntas e respostas não seriam necessárias.

Tudo o que precisavam dizer um ao outro já fora dito.

Em um olhar.

Em um toque.

A pele dela queimava onde ele a tocara, a ponta dos dedos mais áspera do que ela imaginara, considerando as roupas que ele usava. Ela pôde sentir os calos e a força naquele único toque em sua pele. A ideia de ser tocada daquela maneira, com aquelas mãos, em partes do corpo ainda mais sensíveis, fez um fogo se acender em lugares que não costumavam ficar tão quentes.

Seguindo o instinto que a levara até ali, Nicole virou-se sem dizer nenhuma outra palavra e começou a caminhar de volta à porta pela qual acabara de entrar. Um momento depois, a mão grande e morna de Marcus estava na cintura dela, enquanto a seguia. Ela geralmente ia aos eventos com seu guarda-costas, um homem ainda maior que Marcus. No entanto, nunca se sentira tão protegida.

E nunca sentira um formigamento tão grande em seu corpo, da cabeça aos pés.

Esse calor intenso, que vinha da cintura, onde ele apoiava as mãos, espalhou-se pelos quadris, barriga e seios.

A música tocava ainda mais alta que antes, porém, tudo o que ela conseguia ouvir era a batida de seu coração. Tudo o que sabia era que queria passar a noite com Marcus mais do que havia muito tempo desejara qualquer outra coisa.

No fundo, sabia que o que estava fazendo era ridículo, não só por causa das fotos que apareceriam dela com um "homem misterioso", mas porque não deveria sair da boate com um homem sobre quem não sabia absolutamente nada. Ele bem que poderia ser um assassino sádico buscando a próxima vítima a ser decapitada. Mas o modo como a tocava, tão cuidadoso e, ao mesmo tempo, tão confiante — além da maneira como lhe tocara o rosto com tanta delicadeza —, a fez querer confiar em seus primeiros instintos.

Por sorte, assim que algumas pessoas começaram a apontar para ela, a falar com agitação, um táxi parou. Marcus abriu a porta para ela, que deixou o cabelo cair no rosto para esconder sua identidade do motorista, caso ele a olhasse e descobrisse quem ela era.

Seu estômago se revirou enquanto escorregava para dentro do carro, então deu um nó no momento em que seu futuro amante juntou-se a ela no assento de couro surrado e Nicole percebeu o quanto ele era grande. Comparada à maioria das cantoras anoréxicas e às atrizes que conhecia, ela nunca se sentira pequena antes. Entretanto, estar sentada ao lado de Marcus a fazia sentir-se assustadoramente pequena e feminina.

Ele era tão grande, tinha tanta presença, que ela podia jurar que não havia oxigênio suficiente para ela e o motorista respirarem.

— Para onde vamos? — o motorista perguntou, dando uma olhada inexpressiva pelo espelho retrovisor.

A voz do estranho quebrou o feitiço que a havia levado até Marcus desde o primeiro olhar.

Ai, meu Deus, o que ela estava fazendo?

Sim, ela o queria. Desesperadamente.

Sim, ela estava solitária. Terrivelmente.

Contudo, nenhuma dessas coisas era razão suficiente para agir como uma idiota ou para colocar-se em uma situação perigosa. Afinal, veja o que havia acontecido quando confiara em seus instintos com Kenny. O que ele fizera não só a magoara, mas acabara magoando sua família também. Até hoje ela mal podia acreditar que sua mãe perdera seu posto no conselho da escola, que a comunidade ousara acusá-la de não ser um bom modelo para outros pais porque, obviamente, ela havia cometido grandes erros ao ensinar à própria filha a diferença entre o certo e o errado.

Nicole colocou a mão na maçaneta da porta, preparando-se para escapar pelo outro lado.

— Desculpe. Não posso fazer isso. Não conheço você.

Ele não tentou impedi-la, não segurou a mão dela para que não abrisse a porta. Em vez disso, tirou o celular do bolso e passou-o para ela.

— Pode ligar para qualquer um da lista.

Sem poder acreditar no que estava lhe oferecendo, ela deixou a porta entreaberta.

— Sério?

— Se achar que deve, pode ligar. Pergunte sobre mim. Pode perguntar qualquer coisa.

Com certeza ele estava brincando. Quem faria algo desse tipo? Simplesmente passar o celular e dizer para ligar para qualquer número da lista e fazer uma investigação no passado da vida dele?

— Você realmente quer que eu faça uma ligação surpresa para alguém na sua lista de contatos e diga: "Oi, aqui é uma garota que está saindo da boate com o Marcus. Poderia me contar alguma coisa sobre ele, por favor?".

— Quero que se sinta segura comigo esta noite, Nicole.

Meu Deus, toda vez que ele dizia o nome dela, ela se arrepiava toda. Como seria estar embaixo dele, nua e possuída por ele enquanto dizia seu nome?

Ah, ela queria tanto descobrir.

O motorista do táxi limpou a garganta e olhou fixamente para eles pelo espelho retrovisor, mas Marcus claramente não tinha a intenção de ser apressado.

Antes que pudesse reconsiderar, ela pegou o telefone e ligou para o número chamado mais recentemente, alguém chamada Mary. Provavelmente era a esposa dele, Nicole pensou com cinismo enquanto o número chamou umas cinco vezes.

Depois de muitas chamadas, uma mulher atendeu.

— Marcus, queria que não tivesse saído da festa sem se despedir.

Surpresa pela voz que claramente pertencia a uma mulher mais velha em vez de uma amante esperando pela chegada de Marcus para fazer amor com ela mais tarde, Nicole finalmente falou:

— Humm... oi. Aqui não é o Marcus. Ele...

Ela sentiu-se uma idiota sentada no banco de trás de um táxi tentando encontrar as palavras certas para dizer a uma completa estranha. Tudo isso enquanto Marcus a observava com aqueles olhos negros.

— Ele acabou de me dar o celular e disse que eu podia ligar para você.

Houve um breve momento de silêncio antes de a mulher para quem havia acabado de ligar dizer:

— Meu filho está bem?

A mãe dele? Essa era a última pessoa para quem havia ligado antes de ir à boate?

Nicole permaneceu em um silêncio estarrecedor por um momento, antes de se dar conta de que precisava dar uma resposta à mãe dele.

— Sim, ele está bem. Perfeitamente bem.

Marcus estava recostado no banco, os braços cruzados no peito enquanto a observava se desvencilhar dessa conversa inesperada.

Em todos esses anos, nunca conhecera uma pessoa que falasse mais com os pais que ela. Principalmente um homem, provavelmente porque achavam que isso os tornaria menos machos.

Nicole percebeu-se reagindo exatamente da maneira oposta. Um homem que amava a mãe ganhava muitos pontos, e, em vez de achar Marcus menos sexy, ou que era algum filhinho mimado, sentiu um lampejo de respeito surgir pelo homem sentado ao lado dela.

— Que bom — a mãe dele disse, claramente aliviada. — Fico feliz que ele esteja bem.

Nicole sabia que deveria só pedir desculpas por incomodar a mulher e desligar o telefone. Em vez disso, pegou-se dizendo:

— Mary, posso fazer uma pergunta sobre seu filho?

Ela podia jurar ter ouvido um sorriso do outro lado da linha, vindo dessa mulher absolutamente paciente que, até onde Nicole supunha, deveria receber ligações desse tipo toda sexta-feira à noite das garotas que Marcus pegava para se divertir.

— Sim, pode, embora quisesse muito saber com quem estou falando.

— Ah, desculpe. Meu nome é Nicole. — Pela segunda vez naquela noite tinha oportunidade de ser a garota que costumava ser, em vez da pop star que estivera representando nos últimos anos.

— Nicole é um nome lindo!

— Obrigada. — Nicole tentou recompor-se, mas isso era uma coisa muito difícil de fazer com Marcus olhando fixamente para ela, os olhos dele presos em seu rosto.

— O que gostaria de saber sobre o Marcus, Nicole?

Ah, meu Deus, ela não deveria fazer esse tipo de pergunta à mãe dele; no entanto, se desligasse agora, tudo o que teria seriam dúvidas. Dúvidas que não queria ter se ela e Marcus estivessem sozinhos e nus em um hotel dali a pouco.

Ela olhou dentro dos olhos dele e manteve o olhar enquanto perguntava:

— Vou estar segura com ele?

— Ah — a mãe respondeu —, bom, essa é certamente uma pergunta pela qual eu não esperava.

Nicole podia sentir a mão tremendo levemente enquanto segurava o telefone contra a orelha.

— Por que é uma pergunta inesperada?

— O Marcus é meu filho mais velho — a mãe explicou gentilmente. — Ele me ajudou a cuidar dos irmãos e das irmãs quando meu marido morreu, anos atrás. Amo todos os meus filhos, mas, sem dúvida, ele é um dos homens mais confiáveis que já conheci na vida.

O coração de Nicole não deveria ter se enchido com as palavras da mãe dele. Ela não deveria se importar se o homem sentado a seu lado era um bom filho ou um bom irmão mais velho. Tudo o que deveria levar em consideração era que ela estava fisicamente segura e que ele não ousaria machucá-la agora que havia falado com sua mãe e a alertado sobre o que estava prestes a acontecer.

Mesmo assim, não conseguia afastar-se do olhar dele, nem parar de sentir aquelas coisas, enquanto dizia:

— Obrigada por me contar isso.

— Foi um prazer, Nicole.

— Me desculpe por incomodá-la tão tarde — ela disse, subitamente odiando-se por ter causado preocupação à mãe dele com sua ligação vinda do nada.

— Não foi problema nenhum, mas eu gostaria de falar um pouquinho com o Marcus.

— Vou passar o telefone para ele agora mesmo, Mary. E obrigada. — Nicole segurou o telefone, mal acreditando no que estava dizendo. — Sua mãe quer falar com você.

A noite não estava sendo como ela imaginara. Bem, encontrar um homem absolutamente maravilhoso em uma boate estava dentro do esperado, mas ligar para a mãe dele para ter certeza de que não terminaria a noite em um saco no necrotério, isso realmente não era coisa deste mundo. De nenhum mundo, na verdade.

A conversa com a mãe dele a fez sentir-se como se houvesse conhecido Marcus em uma reunião de família, em vez de em uma boate porcaria no centro da cidade.

Ela observou-o escutar o que a mãe estava dizendo. Um pequeno franzido no cenho atravessou-lhe o rosto antes de ele dizer:

— Sim, esta noite. Antes da festa. — E então: — Não se preocupe, eu vou. Boa noite.

Ele colocou o telefone de volta no bolso.

— Sente-se melhor agora?

— Sua mãe parece ser muito gentil — ela comentou, em vez de responder à pergunta que de repente pareceu mil vezes mais carregada que havia dez minutos, principalmente depois dessa ligação esquisita que acabara de fazer para a mãe dele. Nicole se mexeu no assento do carro. Tarde demais, percebeu que seu curtíssimo vestido de couro havia subido a ponto de mostrar a Marcus uma grande parte de sua coxa nua.

— Ela é fantástica — ele respondeu, ainda que seus olhos fossem da pele da qual não podia tirar os olhos de volta ao rosto dela.

O maxilar dele estava tenso, a expressão cheia de desejo... e havia algo mais que ela não conseguia decifrar. Ela chegou à conclusão de que era como se ele estivesse em conflito consigo mesmo sobre o fato de desejá-la tanto.

Da mesma forma que ela estava em conflito consigo mesma por querê-lo tanto.

O motorista do táxi os interrompeu.

— Vocês vão ou não vão?

Marcus olhou para ela.

— Nicole?

Se ele tivesse dito o nome dela de outra maneira, se tivesse havido qualquer pressão, quaisquer exigências por trás disso, ela até poderia ter dito não e sair correndo de lá.

Entretanto, a pergunta dele fora gentil o suficiente para fazê-la, de repente, tomar uma decisão.

— Estou me sentindo melhor. Muito melhor. Estou pronta para ir com você agora.

Ele passou o braço por cima do colo dela para fechar a porta do carro. Então, ordenou ao motorista:

— Para o Fairmont.

Os músculos dela instantaneamente ficaram tensos de novo. Ela acabara de se convencer de que ele não era um perseguidor de celebridades maluco. Será que estava errada? Será que ele sabia que ela estava hospedada no Fairmont?

Notando seu óbvio desconforto, Marcus voltou-se para ela e disse em uma voz bem suave:

— Eu não moro em São Francisco. O Fairmont é o melhor hotel da cidade.

Ela assentiu.

— É verdade.

Ele a olhou de um jeito estranho e ela percebeu que quase havia revelado seu segredo. Marcus claramente não fazia ideia de quem ela era, não sabia que ninguém a chamava de Nicole havia pelo menos uma década. Se fossem ao hotel dela, ele descobriria a verdade assim que parassem em frente ao prédio.

Era difícil tentar pensar rápido quando o fato de estar sentada perto dele enviava sinapses em bilhões de direções diferentes, mas ela finalmente conseguiu dizer:

— Tem algum lugar aonde possamos ir que não seja um hotel?

— Sua casa é muito longe?

De novo, ela concordou com a cabeça, torcendo para que ele não pedisse mais explicações. Ela não queria mentir descaradamente para ele, não queria ter que inventar desculpas sobre companheiras de quarto. Não queria dizer a ele que também não era de São Francisco.

Nicole deu-se conta, de repente, que era uma situação muito difícil. Lá estava ela a ponto de arrancar toda a sua roupa com um completo estranho, mas, na verdade, não queria que ele soubesse nada sobre ela além de como gostava de ser beijada. Com certeza, mais cedo ou mais tarde ele descobriria tudo. Assim que voltasse para casa — onde quer que fosse —, estaria fadado a ver o rosto dela estampado em alguma revista por aí, provavelmente ao lado dele, de alguma foto tirada na boate.

Contudo, por uma noite, ela não queria ser Nick.

Em vez disso, queria a oportunidade de ver do que Nicole gostava, o que Nicole queria, o que Nicole desejava. Mas, então, de novo, achou que já soubesse a resposta para cada uma dessas perguntas.

Ela gostava, queria e desejava Marcus.

E agora que estava a um passo da promessa de prazer verdadeiro com ele, não suportava a ideia de perder essa oportunidade.

Assim que confirmou que sua casa não era uma opção, Marcus tirou o celular do bolso de novo e mandou uma mensagem para alguém. Quando o celular bipou de volta, alguns segundos depois, ele deu o endereço ao motorista. Não seria necessário um cirurgião cerebral para descobrir que ele tinha algum amigo nas redondezas com um lugar que pudessem usar.

Ela sorriu para ele.

— Obrigada. — Nicole sempre fora uma pessoa carinhosa e, sem pensar, colocou a mão sobre o braço dele para enfatizar suas palavras. O bíceps dele, musculoso e grande, se contorceu sob a ponta dos dedos dela, que se assustou. Mas, antes que pudesse se afastar, ele cobriu a mão dela com a dele.

Ah, Deus, o que estava fazendo? O que lhe passara pela cabeça para achar que podia, de fato, fazer isso? O que lhe passara pela cabeça para achar que seria capaz de ir para casa com um completo estranho?

Talvez, se houvesse tido mais experiências com homens, poderia ter tirado tudo de letra. No entanto, ela mal podia se encostar nele, pelo amor de Deus! Como teria condições de vê-lo nu?

Ou de tocá-lo em outros lugares muito mais íntimos?

Nicole percebeu, tarde demais, que Marcus acariciava suavemente sua mão com a ponta dos dedos, como se ela fosse um animal selvagem que precisasse ser acalmado antes de ser devorado. Após um único aperto de mão, e agora com esse carinho suave, ela se perguntou se algum dia ele seria capaz de tocá-la de uma maneira que não transformasse todas as suas células em geleia. Mesmo assim, sua carícia suave era incrivelmente calmante.

Cada toque dos dedos dele sobre os dela parecia dizer: *Sei que está nervosa, e está tudo bem. Vou tomar conta de você esta noite. Assim como não a apressei para tomar uma decisão de vir embora comigo no táxi, também não vou pressioná-la a fazer qualquer coisa na cama.*

Relaxando aos poucos, deixou-se aconchegar um pouco mais perto dele, tão perto que, por instinto, apoiou a cabeça sobre o ombro largo de Marcus. Desta vez, sentiu-o tenso ao toque dela. Mas, antes que pudesse entrar em desespero por estar fazendo a coisa errada, ele colocou seus braços ao redor dos ombros dela, puxando-a para ainda mais perto.

O corpo dela queria tanto estar perto do dele que, sem pensar nem planejar, surpreendeu-se, virando-se para encostar o rosto contra o peito dele, o batimento contínuo do coração dele soando no ouvido dela. Nicole percebeu-se sorrindo diante da intimidade contida na maneira como ele a puxou para mais perto, com um gemido de evidente desejo.

Intimidade. Por que ela ficava pensando nessa palavra?

Ele era um estranho. Esta seria uma noite cheia de diversão, de sexo quente. Nada mais.

Uma parte dela queria perguntar sobre a mãe dele, saber quantos irmãos ele tinha, mas era melhor não; sabia que precisava conter essa vontade. Esta noite era sobre atração física, não emocional. Com sorte, se tudo corresse bem, ela finalmente experimentaria o sexo fogoso que nunca tivera antes. Além disso, se sentasse e começasse a fazer perguntas sobre a família dele, toda a efervescência da conexão inicial estava fadada a desaparecer.

Enquanto o motorista rodava lentamente pelo tráfego da cidade em direção ao endereço que Marcus havia dado, Nicole aconselhava a si mesma, em silêncio, a manter o controle durante as próximas horas. Não interessava o quanto o sexo com Marcus fosse bom — e só pelo jeito como ele a segurava nos braços no banco de trás do táxi já podia dizer que tinha potencial para ser fantástico —, ela não poderia cometer o erro de ligar prazer a amor.

Ela não conhecia Marcus; ele não a conhecia. Contanto que ambos mantivessem as coisas totalmente superficiais e puramente prazerosas, uma noite não afetaria o futuro deles.

No entanto, a verdade que ela não queria admitir era que já se sentia mudada, simplesmente pelo fato de sentir-se tão bem, tão acolhida, tão segura nos braços dele.

Ficou imaginando: *Como seria ter um homem na minha vida que me abraçasse assim todas as noites?*

CAPÍTULO TRÊS

Nicole pegou no sono, a respiração tornando-se lenta e ritmada, seus músculos, antes tensos, agora relaxados diante de Marcus.

Meiga.

Deus, ela era tão meiga, desde a surpresa estampada em seus grandes olhos azuis quando percebera que ligara para a mãe dele até o cheiro de morango nos cabelos e as curvas macias de seu corpo nos braços dele. E, agora, de forma totalmente inesperada, ela havia caído no sono nos braços de um completo estranho.

O que quer que a mãe dele houvesse dito a Nicole tranquilizara-a demais, a ponto de fazê-la relaxar nesse nível. E a verdade era que ele poderia levá-la para qualquer lugar neste momento, poderia amarrá-la e abusar dela antes que pudesse acordar para se defender.

A ideia disso acontecendo com ela, só de pensar no tipo de homem com quem ela poderia ter ido para casa, fez o coração de Marcus bater forte no peito e a mão dele acariciá-la de novo. Desta vez, mais para acalmar a ele que a ela. Ela resmungou baixinho durante o sono, aconchegando-se mais perto dele, como uma gatinha manhosa em busca de aconchego.

Marcus não tinha outra coisa a fazer a não ser ficar surpreso pelo fato de que nada naquele dia acontecera da maneira como havia planejado, inclusive isso. Eles deveriam estar fazendo o check-in em algum hotel neste momento, preparando-se para arrancar as roupas um do outro e transar por horas. Em vez disso, estavam estacionando em frente à casa de seu irmão Smith, em São Francisco, enquanto Marcus pagava o motorista de táxi e colocava os dedos sobre os lábios para avisá-lo de que não deveria acordar a Bela Adormecida.

Sendo o mais gentil possível, ele ergueu Nicole nos braços e tirou-a do carro. Os olhos dela se abriam e fechavam em uma tentativa de acordar. Olhando-a do alto, ele finalmente notou as manchas escuras embaixo de seus cílios compridos. A boate estivera escura demais para que pudesse ver a prova da exaustão dela, mas agora ele não podia negar que, por mais que parte dele quisesse acordá-la para cumprir a

promessa implícita de sexo quente que haviam feito um ao outro na boate, também conseguia perceber o quanto ela precisava desesperadamente de sono.

— Shhh. — Ele não conseguiu resistir e pressionou os lábios contra a testa dela, beijando-a suavemente. — Está segura comigo, Nicole.

Então, com os lindos olhos enevoados pelo sono, as pálpebras dela abriram-se e ela disse:

— Eu sei.

Os lábios carnudos, que ele estivera morrendo de vontade de beijar desde o momento em que ela entrara na boate e se apresentara, esboçaram um pequeno sorriso antes que ela fechasse os olhos novamente.

Quase na porta da frente, Marcus teve que parar para tentar recompor-se e não tropeçar com ela nos braços. Não que Nicole fosse pesada. Para alguém com todas aquelas curvas maravilhosas, até que ela era bem miúda. Fora a confiança nos olhos dela que fizera seus joelhos ficarem fracos.

Meu Deus, as coisas que planejara fazer com ela naquela noite...

Assim que as visões de arrancar aquele vestido lhe vieram à cabeça, a culpa lhe deu um soco no estômago. Que inferno, ele continuava tendo aquelas visões; visões que eram muito mais reais agora que ele a tinha nos braços e sentia seu perfume.

Merda. Não era para uma estranha afetá-lo daquela maneira. Não era para uma estranha pegar no sono nos braços dele. Não era para uma estranha confiar-lhe nada além de seu corpo e seu prazer.

Desde os 14 anos, após a morte do pai, Marcus tornara-se aquele com quem todos podiam contar. Ele sabia que sua mãe não daria conta de tudo sozinha e, de um dia para outro, assumira o papel de homem da casa para seus sete irmãos mais novos. Óbvio que tivera sua dose de mulheres até conhecer Jill. Ele achara que Jill gostasse de sua família e que entendesse o quanto precisavam dele. Em vez disso, ela sentia-se ameaçada pela relação deles.

Como ele não vira isso antes?

De qualquer forma, esta era para ser a noite da desforra; para livrar-se das amarras da responsabilidade.

Em vez disso, olhe só aonde havia ido parar, com a responsabilidade de, por uma noite, proteger uma linda jovem de seus próprios desejos perigosos.

Ele olhou para a mulher em seus braços. Acordada, o carisma, a força de vontade e a objetividade dela eram de tirar o fôlego. Dormindo, ele só conseguia ver uma doce vulnerabilidade. Maldição! Independentemente de suas intenções originais, agora ele não tinha a menor intenção de tirar vantagem da vulnerabilidade dela.

Alcançando finalmente os últimos degraus da porta da frente, Marcus destrancou-a e entrou. Seu irmão, astro de cinema, tinha várias casas ao redor do mundo, não porque gostasse de mostrar o quanto era rico e importante, mas porque gostava de sentir-se em casa quando estava fazendo seus filmes.

Considerando que já havia filmado muitos deles em Los Angeles, Nova York e São Francisco nos últimos anos, fazia sentido para ele comprar uma casa em cada cidade.

Marcus nunca havia pedido um favor como esse a Smith. Não porque seu irmão se importasse. Na verdade, Smith teria adorado que um, ou mais de um, de seus irmãos ficassem hospedados em sua mansão no topo da montanha, porém todos eles eram orgulhosos o suficiente para quererem ganhar a própria vida. Mesmo que esse orgulho fizesse Sophie, a irmã mais nova, viver em um apartamento minúsculo em uma parte não muito boa da cidade por conta de seu salário de bibliotecária. Marcus havia perdido a conta de quantas vezes Smith tentara convencer a irmã deles a morar neste lugar. No entanto, ela batera o pé e dissera não.

Depois de enviar a mensagem a Smith poucos minutos atrás — *Preciso usar sua casa hoje* —, Marcus sabia que seu irmão quereria saber dos detalhes do pedido.

E da pessoa que estava com Marcus.

Passando pelo *foyer*, Marcus olhou para a escadaria que levava aos quartos, mas, por alguma razão, não achou certo levar Nicole para o andar de cima. Uma cama seria algo muito íntimo e não queria que ela acordasse no meio da noite e achasse que havia acontecido algo entre eles.

Por sorte, os sofás de Smith continuavam tão macios e confortáveis como sempre. Indo até a sala de estar, Marcus colocou Nicole em um sofá comprido e tirou-lhe os sapatos de salto e a pequena bolsa enrolada ao redor do pulso.

Mesmo dormindo, Nicole parecia relutante em deixá-lo ir e ele pegou-se ajoelhando com ela no colo; assim, ela poderia deitar-se e continuar com os braços ao redor do pescoço dele. Ela suspirou com prazer enquanto imediatamente se enrolou de lado, feito uma bola, o rosto dela de frente para ele, os lábios carnudos com um ligeiro sorriso no canto da boca.

Como seria beijar essa boca?

Marcus teve que se controlar muito para afastar esse pensamento.

Aqueles planos, aquelas fantasias, tinham que ser apagadas. Ele agora estava pronto para cuidar de uma linda garota cujo perfume e curvas macias ele não seria capaz de esquecer por muito tempo.

Ele cobriu-a com um cobertor jogado sobre o sofá, então olhou em volta procurando um travesseiro, mas não havia nenhum. Poderia ir até lá em cima e tirar um travesseiro da cama; porém, considerando a maneira como a mão dela havia buscado a dele, tinha a impressão de que ela acordaria caso saísse dali completamente.

Acomodou-se para ficar sentado no sofá ao lado dela e trocou-a de posição, fazendo de suas pernas um travesseiro para ela. Nicole pareceu incomodada por um momento, a mão livre pressionando a perna dele enquanto claramente se perguntava por que seu travesseiro estava tão duro.

Sem pensar, com a mão livre, puxou a mão dela. Ela imediatamente aconchegou-se nele, enroscando-se ainda mais sob o cobertor grosso, fazendo-o lembrar de novo dos gatinhos selvagens que geralmente encontrava nos cantos ensolarados de sua vinícola.

Ele a desejava tanto que, a princípio, foi difícil relaxar. A cada respiração dela, cada vez que a cabeça dela se movia em seu colo, a libido dava um salto. Estava feliz por ela estar dormindo tão profundamente, do contrário poderia perceber que os músculos de sua coxa não eram a única coisa dura sobre a qual ela estava deitada.

Contando com seus nervos de aço que raramente, ou nunca, o deixaram na mão, obrigou-se a tirar os olhos dela e olhar para a enorme janela da sala de estar, com uma vista panorâmica das luzes e da Baía de São Francisco.

Ao longo dos anos, Marcus já estivera nas casas de outros atores e ficava sempre estupefato ao ver quantas fotos e até mesmo quadros tinham de si mesmos. Era quase como se tivessem medo de que algum dia alguém, incluindo eles próprios, não olhasse mais para o rosto que os tornara famosos, caso caíssem no esquecimento. Smith era exatamente o oposto. Não só não havia fotos dele como também não havia nenhuma foto pessoal em qualquer lugar da casa.

Nenhum dos Sullivans passava muito tempo em frente ao espelho. Nem mesmo suas irmãs, exceto Lori, quando estava trabalhando. Seu trabalho como coreógrafa exigia que mantivesse um olho clínico sobre suas linhas, seus movimentos e suas expressões enquanto dançava. E, apesar de a mãe de Marcus ter sido modelo quando jovem, ele não conseguia se lembrar dela desperdiçando muito tempo com a maquiagem e o cabelo. Criar oito filhos torna mais difícil, para qualquer um, arrumar tempo para se enfeitar ou ter vaidade.

De qualquer forma, Marcus não estava particularmente interessado em quaisquer alterações que Smith houvesse feito em sua casa temporária. Principalmente quando já sentia ter ficado muito tempo longe de Nicole.

Ao olhar para a linda figura dela, o nó no peito dele se apertou. A consciência percorreu sua mente outra vez: desde o primeiro olhar, fora tomado de tal forma pela atração por ela que não havia conseguido pensar em outra coisa.

No entanto, agora, tendo a chance de só olhar para ela, perguntou-se se já a vira em algum lugar antes.

Não, concluiu um momento depois. Era impossível.

Nicole era uma mulher de quem ele jamais se esqueceria.

Olhou-a demoradamente, memorizando a curva de suas maçãs do rosto, o movimento dos cílios, o jeito como suas sobrancelhas se arqueavam, o queixo ligeiramente pontiagudo que combinava perfeitamente com ela, o contorno delicado da orelha.

As penugens na linha da testa eram de um tom muito mais claro que a cor de cabelo que ela usava agora, e Marcus se perguntou por que ela achava que deveria mudar alguma coisa em si quando já era tão perfeita. Um dia, pensou, gostaria de vê-la com sua cor de cabelo natural.

O que estava pensando? Ele nunca mais a veria depois desta noite.

Seus pensamentos voltaram à ex-namorada, ao quanto havia ficado furioso por encontrar Jill com Rocco. Porém, de novo, se tivesse sido honesto consigo mesmo, teria ficado zangado e frustrado havia muito mais tempo. Durante semanas, meses, quando Jill encontrava cada vez mais desculpas para não estar preparada para ficar noiva, quando cancelava um fim de semana após o outro, quando se comprometia a encontrar a família dele em vários eventos e então desistia na última hora.

Ele achara que fosse ficar furioso com Jill durante toda a noite. Mas, desde que conhecera Nicole, não havia pensado em Jill até aquele momento. E, surpreendentemente, com Nicole dormindo em seu colo, de mãos dadas com ele, a raiva de Marcus parecia mais brasa apagada que fogo incandescente.

O remédio para aquela noite deveria ser sexo, não uma gatinha delicada e meiga chamada Nicole.

Mesmo assim, em vez de estar ainda mais decepcionado pela reviravolta em sua noite de sexo sem limites, Marcus tinha um sorriso no rosto quando se recostou no sofá, fechou os olhos e pegou no sono.

CAPÍTULO QUATRO

Nicole sentia-se tão aquecida, tão segura. Mais segura do que jamais se sentira havia anos, quando, em vez de hotéis pelo mundo, ainda morava na casa de seus pais.

Mas, ao abrir os olhos, reparou que não estava em sua cama de infância. Primeiro porque sua cama não cheirava a couro; depois porque seu travesseiro não era feito de músculos rígidos. Além disso, em sua cama não havia ninguém que segurasse suas mãos de forma tão carinhosa.

Ela engoliu em seco quando percebeu o que devia ter acontecido. Na noite passada, na boate, fizera um convite indecente a um homem maravilhoso... e, então, de repente, havia pegado no sono em cima dele.

Ai, meu Deus, como havia sido idiota! Será que pensara que poderia ter controle de sua própria vida indo a uma boate para arranjar um estranho com quem pudesse passar a noite?

Diante da fria luz do dia, ela não queria pensar sobre a noite passada; queria encarar os fatos: depois de deixar Marcus, teria que lidar com a imprensa e as consequências de ter se envolvido com um estranho.

A ironia de que, na verdade, não fizera porcaria nenhuma com ele — nem mesmo um beijo — não faria diferença para ninguém.

Mesmo assim, quando abriu as pálpebras o suficiente para dar uma olhada em si mesma, viu que ele a acomodara sobre o sofá de couro macio e, sobre ela, colocara um grosso cobertor. Ela mexeu os dedos dos pés. Um sorriso de surpresa apareceu em seus lábios quando percebeu que, embora ele não tivesse tirado seu vestido, obviamente pensara em lhe tirar os sapatos de salto alto para que ela dormisse mais confortavelmente.

Ela não conseguia se lembrar da última vez que um estranho cuidara tão bem dela.

Era verdade que as pessoas estavam sempre tentando lhe fazer favores, mas 99 por cento das vezes era porque queriam alguma coisa em troca.

Marcus não havia tirado absolutamente nada dela. Ao contrário, havia lhe dado a melhor noite de sono em muitos anos.

Fazia pelo menos seis meses que não dormia tão bem. Não importava quão macios fossem os lençóis, quão caro fosse o colchão, a cama sempre parecia grande demais e ela não era capaz de impedir o turbilhão de pensamentos em sua cabeça. Havia escrito uma tonelada de músicas quando deveria estar dormindo. Achava que sua música estava ficando melhor do que nunca, mas, ao mesmo tempo, sentia-se chegando cada vez mais perto do abismo do estresse.

Como gostaria de estar com a mente descansada. E que fantástico que a oportunidade de recarregar as baterias houvesse aparecido na casa de um estranho enquanto estava deitada no colo de um homem. Um homem sobre quem ela nada sabia além de seu primeiro nome, o fato de que a mãe dele era muito gentil e que ele era um bom irmão mais velho.

Foi quando sentiu os músculos dele mudarem de posição embaixo de seu rosto e percebeu que ele sabia que ela acordara. De repente, sentiu a maneira como sua língua estava grudada no céu da boca. Sem dúvida, além de estar com um péssimo hálito, também tinha borrões de rímel por todo o rosto.

Nicole precisava muito ir ao banheiro para se lavar antes de permitir que ele a visse à luz do dia... e antes que pudesse encará-lo para se desculpar por não ter sido o demônio sexual que prometera ser na noite anterior.

Empurrando o cobertor macio, ela sentou-se rapidamente e pisou no tapete felpudo. Não dirigiu uma só palavra a ele enquanto se apressou a andar em direção ao que, desesperadamente, desejou que fosse o banheiro.

Seria um vexame se ela fosse dar com um armário. De fato, um vexame tão grande que, se houvesse adivinhado errado, resolveu que se trancaria no armário e morreria de vergonha, sozinha.

Felizmente, a sorte estava ao lado dela quando espiou por uma porta entre a sala de estar e a cozinha americana e encontrou um banheiro enorme.

Ai, Deus, pensou enquanto se olhava no espelho. Ela parecia uma bruxa. Mas não uma daquelas bruxas lindas que podiam jogar um feitiço sobre qualquer homem para quem olhassem. Não, estava mais para uma daquelas bruxas horrorosas que ofereciam maçãs vermelhas e lustrosas a belas princesas.

A maquiagem deve ter derretido com o calor das pernas dele e o cabelo dela estava todo arrepiado e grudento. Se ao menos houvesse pensado em trazer a nécessaire ao banheiro consigo, assim poderia no mínimo ter arrumado o batom. Do jeito que ela estava, tudo o que podia fazer era lavar todo o rosto com aquele sabonete em barra muito cheiroso.

Nicole não crescera usando maquiagem, mas, assim que resolvera seguir carreira na música, a maquiagem tornara-se uma necessidade. Ela ainda não gostava muito de como aquilo lhe caía na pele — tão sensível que agora mandava manipular tudo para que não tivesse alergia —, mas sabia que a fazia parecer mais velha, mais madura e mais sexy. Sem maquiagem, poderia passar por uns 18 anos. E olhe lá. Se sua carreira na música pop não fosse um estouro, poderia muito bem passar despercebida nas escolas secundárias.

Abrindo a torneira, fechou os olhos e lavou o rosto. Assim que terminou, agachou-se para ver se, por um milagre, poderia achar uma escova de dente e creme dental debaixo da pia. De novo, suas preces foram ouvidas e, minutos depois, o sorriso dela, junto com a pele, estava absolutamente limpo. Tudo o que restava era o cabelo, que ela conseguiu pentear com a ponta dos dedos e um pouco de água.

Olhou-se no espelho e não gostou da maneira como o frescor de seu rosto contrastava com seu vestido de couro; ela faria qualquer coisa para vestir um jeans e uma camiseta naquele momento.

E, ah, ela realmente faria *qualquer coisa* para conseguir sair sorrateiramente do banheiro — e da casa — sem precisar olhar para Marcus de novo.

O coração dela estava disparado quando saiu do banheiro. Na ponta dos pés, foi até o corredor até conseguir ver o sofá, esticando o pescoço. Mas estava vazio.

Dez segundos depois, ela o viu na cozinha. Estava de costas para ela e, pelos altos sons vindos de lá, rapidamente imaginou que estivesse moendo grãos de café.

Não queria ficar espiando, porém realmente não havia outra maneira de anunciar a presença dela sem ser gritando mais alto que o moedor, o que ela não faria. Movendo-se lentamente em direção a ele, com muito mais cuidado do que fizera na boate na noite anterior, ela esperou do outro lado do balcão da cozinha até que ele se voltasse e a visse lá.

Como podia estar tão lindo esta manhã quanto estivera na noite anterior?, ela se perguntou. De costas, as roupas dele mal pareciam usadas, e o cabelo escuro com certeza não estava todo emaranhado como o dela.

Terminou de moer os grãos e virou-se, como se, o tempo todo, soubesse que ela estivera lá. Ele parecia ainda mais maravilhoso agora, com uma camada escura de barba por fazer sobre o rosto.

— Café me pareceu uma boa ideia.

Ela assentiu, tentando sorrir, mas estava tão nervosa que seus lábios pareciam tremer.

— Obrigada — ela finalmente conseguiu colocar para fora. — Café seria ótimo.

Os olhos dele prenderam os dela por um momento, quase como se estivessem avaliando como ela estava se sentindo.

— Já aumentei um pouco o aquecedor, mas achei que pudesse sentir frio durante um tempo. — Ele tirou uma blusa de moletom do balcão e deu a ela. — Sei que é um pouco grande, mas...

Ela pegou o moletom antes que ele terminasse a frase. Foi como se houvesse escutado sua prece silenciosa para cobrir aquele vestido inadequado. Alguns segundos depois, ela olhou-se vestida naquela blusa ridiculamente grande. A parte de baixo do moletom passava do joelho dela, e nem valia a pena tentar enrolar as mangas, de tão compridas.

— Vou tentar achar outra coisa para você.

Puxando o excesso de tecido para cima, ela balançou a cabeça e finalmente sorriu.

— Não, está perfeito. — Ela não conseguia tirar os olhos dele. — Obrigada.

Não conseguiu decifrar a expressão dele enquanto a olhava, mas, por fim, ele respondeu:

— De nada.

Enquanto ele voltava até a cara máquina de fazer café no canto de uma bancada de granito, Nicole não conseguia parar de pensar em como fora meigo ao preocupar-se que ela estivesse sentindo frio em vez de aproveitar a oportunidade para olhar para seus seios naquele vestido de couro ridículo.

Sabendo que precisava focar seus pensamentos em algo que não fosse a doçura e a beleza de Marcus, afastou-se dele e fez uma leitura lenta e compenetrada da casa onde havia passado a noite.

Era linda. Muito, muito linda. Embora, notou rapidamente, também não houvesse nada pessoal, quase como se fosse uma versão estendida de seus luxuosos quartos de hotel.

Marcus deve ter notado a expressão dela, pois comentou:

— Esta casa é do meu irmão.

Ela pôde sentir um calafrio subindo por sua pele diante daquela voz doce e, ao mesmo tempo, áspera. Era uma voz que combinava com aquelas roupas alinhadas e o fato de que ele claramente era um homem de negócios bem-sucedido. Ela gostava muito daquele jeito profundo e rude. Gostava até demais, a julgar pela reação de seu corpo a algumas simples palavras.

A sombra escura de barba na mandíbula dele poderia parecer deslocada, mas, de alguma forma, não era o caso. Ela lembrou-se dos calos nas pontas dos dedos dele, pensando que os calos e o traje social eram uma dicotomia que não podia entender. Mas, de repente, ah, como gostaria de entender aquilo. Muito mais do que seria de bom senso para um homem que deveria ser considerado um estranho do começo ao fim.

— É muito bonita — ela comentou. E então caiu a ficha: e se o irmão dele estivesse prestes a entrar naquela cena aconchegante do café? As chances de que ele também não a reconhecesse seriam muito pequenas.

Pela milésima vez desde que acordara, ela imaginou o que passara por sua cabeça para sair da boate na noite anterior e ir para casa com Marcus. Parecia tudo tranquilo enquanto eram só os dois, mas, de algum modo, saber que o irmão dele desceria as escadas a qualquer minuto e a encontraria ali, descalça e com seu vestido de couro totalmente inadequado, a fazia pensar que cometera o maior erro do mundo ao sair de seu quarto de hotel, só pra começar.

Ela começou a se distanciar do balcão.

— Acho que devo ir antes que ele...

— Não se preocupe, Nicole. — Marcus pronunciando o nome dela naquela voz pecadoramente sedutora a acalmava, o restante da frase se perdia. — Ele está trabalhando fora da cidade. Somos só eu e você.

Ouvir isso deveria tê-la feito sentir-se melhor; mas não fez. Pois ela, honestamente, não sabia se ficar a sós com Marcus seria uma boa ideia. Não quando se sentia tão estranha ao lado dele, não quando sua língua estava amarrada e havia um nó em seu estômago, ainda que não houvessem nem mesmo se beijado na noite anterior.

Imagine se, de fato, tivessem feito sexo selvagem e ardente como ela planejara. Agora, ela estaria morrendo.

Morrendo.

Claramente, esse lance de "só uma noite de sexo" não era com ela. E, de repente, parecia fundamental que ele soubesse disso.

— Nunca fiz isso antes. — Ela forçou-se a olhar para longe do granito negro brilhante ao qual se segurava para manter o equilíbrio. Desgarrando os dedos da ponta do balcão, viu as marcas úmidas de sua mão sobre a superfície, um sinal revelador do quanto estava nervosa.

— Faz tempo para mim também.

Um ciúme inesperado tomou conta dela ao imaginar Marcus em pé na cozinha com outra mulher que havia escolhido para uma noite de sexo e nada mais. Ela não tinha direito sobre ele, nem direito de sentir aquele aperto no peito.

No entanto, sentiu mesmo assim.

Principalmente quando podia apostar um milhão de dólares no fato de que ela havia sido a única mulher que caíra no sono... antes mesmo de darem o primeiro beijo.

— Não tive a intenção de pegar no sono em cima de você ontem à noite.

Os lábios dele finalmente mostraram um pequeno sorriso. Marcus estivera tão sério até aquele instante que ela ficou mais do que surpresa ao ver os cantos da boca dele se moverem para cima. Diante do sorriso, aquele frio na barriga que ela sentira ao vê-lo pela primeira vez na boate, uma visão tão poderosa e forte, começou a se espalhar por todos os cantos.

Claro que ela ainda queria beijá-lo, mas, de repente, também queria vê-lo sorrir. Queria ver seus olhos marrom-chocolate olharem para ela com um sorriso e saber que era ela a responsável por isso.

— Você estava realmente exausta. — Ele não estava mais sorrindo, mas tinha o olhar meigo, generoso. Passou a ela uma xícara de café. — Não me importei de ser seu travesseiro por uma noite.

Aquela mesma sensação de quando soubera que ele era um bom filho e um bom irmão tomou conta dela novamente. Nicole tinha certeza de que qualquer outro homem estaria furioso com ela agora, teria esperado que ela caísse de joelhos, arrancasse as calças dele e recuperasse o tempo perdido na noite passada. Porém, Marcus parecia mais preocupado com os sentimentos dela do que com ter sido deixado na mão.

Se tivesse ido para cima dela com agressividade, exigindo uma reparação, ela teria lhe dado um fora e saído de lá tão rápido que faria a cabeça dele girar. Em vez disso, estava tentando encontrar o caminho neste estranho mundo novo, no qual, finalmente, havia encontrado alguém que não queria absolutamente nada dela.

Nem a fama dela, sobre a qual ele evidentemente não sabia de nada, nem mesmo seu corpo, que ela lhe oferecera sem reservas menos de 12 horas atrás... verbalmente, pelo menos.

— Você foi um ótimo travesseiro.

Desta vez, o sorriso dele a fez sorrir de volta. Ela não acreditava muito em coisas que não podia ver, degustar, ouvir ou tocar, mas, naquele momento, podia jurar ter visto uma fita invisível entre eles, unindo-os.

Já sem tanta pressa para fugir, sentou-se em um dos banquinhos do bar.

— Por favor, sente aqui comigo.

A noite passada ela não quisera saber nada, exceto se ele poderia fazê-la gritar de prazer. No entanto, já que não haviam nem chegado à primeira base devido a seu comportamento estranhamente narcoléptico, decidiu não resistir à vontade de saber mais sobre esse homem misterioso que segurara sua mão enquanto dormia pesado pela primeira vez em anos.

Marcus hesitou por alguns segundos, e, no momento em que ela pensou que recusaria o convite, ele pegou a xícara e caminhou em sua direção.

— Então, você também não mora em São Francisco?

Ele balançou a cabeça.

— Napa Valley.

— Já passei de carro por lá umas vezes e a região é realmente linda. — Ela não mencionou que estivera lá tocando em festas particulares de alguns figurões que moravam em Napa. Tomou outro gole de café. — Mas não sou muito de beber vinho. — Ela deu de ombros. — Nunca sei o que combina com o quê.

Se estivesse sendo honesta sobre quem era e o que fazia, teria contado a ele que só um golinho de vinho seria suficiente para tirá-la do controle. E, com tantas pessoas em volta dela o tempo todo fazendo perguntas, trazendo contratos e propostas, tinha que trabalhar o dobro do tempo para manter-se completamente centrada e lúcida. E era por isso que raramente bebia. Cometera esse erro somente com Kenny; e pagara muito caro por isso.

— Você trabalha no ramo de vinhos?

Ele concordou com a cabeça e então perguntou:

— Você também não mora aqui, mora?

Ela reparou que, enquanto respondia à pergunta dela, ele rapidamente mudara de assunto. Isso servia para lembrar que este era só um bate-papo entre dois estranhos que nunca mais se veriam. Não deveria se chatear porque ele não queria lhe contar onde trabalhava. Provavelmente estava com medo de que ela fosse atrás dele e se tornasse um grande transtorno. Sem dúvida, muitas garotas tentaram grudar nele ao longo dos anos.

Além disso, também não estava exatamente doida para compartilhar vários detalhes de sua vida com ele, estava?

Tão vaga quanto ele, ela respondeu:

— Sou de uma cidadezinha bem pequenininha ao norte de Nova York, mas sempre gostei da Costa Oeste.

Na mosca. Isso fora perfeitamente impessoal. Ambos estavam se comportando como dois adultos que por pouco não cometeram o erro de ter apenas uma noite de sexo e nada mais, mas que, de alguma forma, haviam escapado dessa noite sem nenhum arranhão.

Ela deveria estar feliz.

Entretanto, não estava.

Pois, por alguns minutos maravilhosos na noite anterior, ela se refestelara em um desejo irracional e livre, cheio de expectativas. Racionalmente, era difícil até de colocar em palavras.

Ela girou em seu banquinho para encará-lo mais diretamente.

— Ainda estou muito envergonhada por ter ligado para sua mãe ontem à noite.

A última coisa pela qual esperava era que a risada dele ecoasse pela sala. Foi um som tão lindo — completo e profundo, ainda que um pouco enferrujado — que ela teve uma vontade súbita de capturá-lo, como a bruxa do mar fizera com a voz de Ariel no filme *A Pequena Sereia*, em um medalhão que pudesse usar pendurado no pescoço e tirá-lo para ouvir quando precisasse de ânimo durante o dia.

— Pode acreditar — ele disse. — Tenho certeza de que ela adorou conversar com você. Mesmo.

— O que você vai dizer a ela? — Ela esclareceu rapidamente: — Sobre mim, quero dizer, e a pergunta que fiz a ela sobre você.

— Se estaria segura comigo?

A respiração dela ficou ofegante e tudo o que pôde fazer foi concordar com a cabeça, enquanto a tensão sensual entre eles subia mais um nível.

Mas, em vez de deixar o assunto de lado, ela disse, quase como um suspiro:

— Eu estava segura com você. — Antes que pudesse perceber, esticou a mão para tocar na dele, a apenas alguns centímetros.

Desejou que estivesse acordada havia tempo suficiente para realmente curti-lo segurando a mão dela. Em vez disso, havia dormido durante alguns dos melhores momentos de sua vida — Marcus segurando sua mão, a quentura dele embalando-a.

Agora, à medida que os raios do sol atravessavam as grandes janelas da cozinha da casa do irmão dele, ela puxou a mão de volta quase imperceptivelmente, antes de chegar a tocá-lo.

— O que quer que eu diga a ela?

Ela tirou os olhos das grandes mãos dele, mãos que não conseguia parar de desejar que estivessem segurando-a, acariciando-a; e, apesar do sol morno entrando, um arrepio lhe percorreu o corpo quando olhou para ele.

— Talvez — ela disse devagar — pudesse dizer a ela que fez uma nova amiga ontem à noite.

— Uma nova amiga.

Enquanto suas próprias palavras retornaram na voz dele, deliciosamente macia, ela pensou: *Gostaria que isso fosse realmente verdade. Gostaria que fôssemos realmente amigos. E muito, muito mais.*

Ela lambeu os lábios e os olhos dele seguiram o trajeto de sua língua. Quando o olhar dele encontrou o dela, o fogo da noite anterior estava de volta.

Ela sabia que ele também podia ver o desejo no olhar dela. Uma parte dela pensou que pudesse escondê-lo, mas nada havia mudado da noite anterior para aquela manhã. Ela continuava irracionalmente atraída por ele.

Prestes a dizer algo mais para tentar quebrar a tensão sensual entre eles, ela repentinamente se perguntou por que queria tanto se distanciar dele. Marcus era maravilhoso, o homem mais bonito que já conhecera na vida. Tudo bem; a noite passada não havia sido conforme esperado, mas ela estaria na cidade por muitas outras noites.

Ai, meu Deus, ela era terrível nisso, não fazia ideia de como fazer uma proposta indecente a Marcus pela segunda vez em 24 horas. Na noite anterior, ela tivera a vantagem da música alta, da luz negra, do vestido de couro e do salto agulha. Mas, sentada ali na cozinha tomando café e vestida em um moletom extragrande... não tinha nenhuma dessas armadilhas sexy para ajudá-la a encontrar o caminho.

O problema era que ela já sabia que se arrependeria até o último fio de cabelo se fugisse de Marcus sem ao menos tentar.

Uma noite. Ela merecia uma noite com um cara como esse, não merecia? Só porque estragara a noite anterior pegando no sono, isso não queria dizer que deveria desistir. Se houvesse encarado a música desse jeito, nunca teria ido além de cantar em microfones abertos em bares e cafés.

Claro, teria que contar quem era se ele concordasse em passar outra noite com ela. Que merda, ela sabia que precisava contar a ele de qualquer maneira. Como seria injusto com ele se saísse daqui e recebesse uma ligação de um amigo ou da família perguntando por que não havia contado que era o mais novo caso de Nick?

Sem nem um pouco de vontade de chegar a esse assunto, resolveu continuar a conversa:

— Vou estar na cidade por mais algumas noites. — Ela pegou a xícara novamente e engoliu o restante do café.

A expressão dele era indecifrável. Ela não fazia a menor ideia do que ele diria com relação à sua proposta indecente. Porém, sabia que precisava fazê-la de qualquer maneira, ou se consideraria uma covarde para sempre.

A garganta dela ficou fechada e seca quando disse:

— Preciso ir embora daqui a uns minutos, mas estava pensando se você gostaria de sair comigo hoje à noite.

Ela jurou que viu um fogo brilhar nos olhos dele, o desejo que nenhum dos dois fora capaz de colocar de lado. *Ah, por favor, por favor, por favor, diga sim!* Pois, agora que havia se exposto, que havia admitido que o queria, não suportaria a ideia de não tê-lo.

— Quantos anos você tem, Nicole?

— Vinte e cinco — ela tentou dizer isso sem parecer defensiva.

— Tenho trinta e seis. — Ele empurrou seu banquinho e pegou as duas xícaras de café enquanto ia em direção à pia. — Eu não deveria ter ido àquela boate ontem à noite. — Os ombros estavam tensos enquanto explicava. — Estava furioso com algo que aconteceu e pensei que pudesse passar por cima de tudo indo a uma boate e levando alguém para casa para fazer sexo.

Era a primeira vez que um deles usava aquela palavra.

Sexo.

Duas sílabas, quatro pequenas letras soltavam faísca entre eles. E, ah, faziam Nicole desejá-lo mais que nunca, mesmo que ele estivesse tentando usar a palavra para se afastar dela, tentando achar motivos para que não pudessem passar a noite juntos.

Os pais dela sempre disseram o quanto havia sido teimosa quando criança, e nada mudara para ela como adulta. Na verdade, suas experiências no mundo dos negócios da música, tendo que lidar com uma rejeição quase constante e dar a volta por cima, só a haviam deixado ainda mais teimosa.

— Eu também tive meus motivos — respondeu a ele.

No entanto, esses motivos mudaram. A noite passada tivera a ver com conquistar algo que todos achavam que ela já tinha. Nesta manhã, ela não se importava com ninguém, não estava nem aí para o que um bando de estranhos pensaria dela. Agora, o motivo era querer Marcus inteiramente para ela.

— Mesmo que eu não fosse velho demais para você...

Nicole o interrompeu:

— Somos dois adultos.

Ele olhou para ela, da cabeça aos pés, e ela sabia que ele estava comendo o moletom de malha que cobria os joelhos dela com os olhos. Mesmo sabendo que parecia extremamente jovem sem maquiagem, ela ergueu o queixo e disse:

— A noite passada você me achou velha o bastante.

O maxilar dele enrijeceu.

— A noite passada foi um erro. E, se você não tivesse pegado no sono, teria sido realmente um erro enorme.

Uau, isso doeu.

Ela precisou afastar-se dele no banquinho e sair rapidamente. Assim, ele não seria capaz de ver o quanto aquelas palavras a faziam sentir-se mal. Nicole achara que era uma profissional em tirar de letra a rejeição. Mas, pelo jeito, ainda tinha um longo caminho a percorrer, já que umas poucas palavras de Marcus a fizeram sentir-se despedaçada por dentro.

— Nicole.

Ela não voltou o rosto para encará-lo quando ele disse seu nome, nem parou de ir em direção ao sofá onde esperava que seus sapatos e sua bolsa estivessem. Arrancou o moletom enquanto caminhava, não querendo nada além de sumir dali, sair daquela porcaria de casa e mergulhar no trabalho, o trabalho no qual estivera mergulhada nos últimos seis meses.

No momento em que estava se abaixando para pegar seus sapatos, Marcus colocou-se na frente dela.

— Não é culpa sua. Nada do que aconteceu ou não aconteceu é culpa sua.

Ela esticou a mão e desejou não tremer.

— Pode me dar meus sapatos, por favor?

Durante alguns segundos, ela não teve certeza se ele os devolveria,
mas, então, ele finalmente os entregou.

Nicole tomou cuidado para que as pontas de seus dedos não tocassem as de Marcus quando tomou os sapatos das mãos dele. Então, sentou na beirada da mesinha de centro para calçá-los. De alguma maneira, tinha que manter o controle até conseguir sair da casa como uma mulher que não se importava se um homem a achava atraente ou não. Havia muitos outros que a queriam. Um dia, quando estivesse se sentindo idiota e impulsiva de novo, encontraria um deles.

— Você é linda, Nicole.

Ela tinha absoluta certeza de que nada que ele dissesse a impediria de fazê-la sair dali. Nada, exceto isto:

— Quando estava dormindo na noite passada, não conseguia parar de pensar em como você é linda. Mal posso acreditar que veio para casa comigo ontem à noite. — Ele passou a mão no próprio rosto. — Não devia estar lhe dizendo isso, mas é a pura verdade, não posso deixar que pense outra coisa. A noite passada, disse a mim mesmo que poderia dormir com uma estranha e não me preocupar com os sentimentos dela. — Os olhos dele encontraram os dela e os prenderam rapidamente. — Não sei muito sobre você, mas não sinto mais que você seja uma estranha, Nicole.

Uma chama de esperança se acendeu no peito dela.

— Nem você — ela disse suavemente.

Desta vez, quando ela instintivamente alcançou a mão dele, foi até o fim. Nicole escorregou os dedos por entre os dele e a felicidade que sentira ao acordar no colo dele naquela manhã, de mãos dadas, tomou conta dela novamente.

— Você está certo, não nos conhecemos muito bem ainda, mas já sei que você me faz bem. E também sei que você foi um perfeito cavalheiro na noite passada. — Ela levantou-se na ponta dos pés, ficando bem na frente dele, seus seios quase tocando o peito dele. — Se tentarmos de novo esta noite, quem sabe possamos descobrir como é quando você não se comporta mais como um verdadeiro cavalheiro.

A chama do desejo nos olhos dele brilhou ainda mais forte que antes, e ela pôde sentir a prova disso pressionada contra a parte de baixo de seu corpo, quando chegou ainda mais perto dele.

— Acabei de sair de um relacionamento. Não estou procurando outro.

Ah, então fora isso que o levara à boate na noite passada para pegar alguma gostosa e transar até não poder mais.

— Também não estou querendo um relacionamento — ela disse com firmeza. — Juro que não. — Ela colocou a mão dele sobre os lábios dela. — Só uma noite para sentir como é ser tocada por você. — Ela ficou na ponta dos pés em seu salto agulha para ganhar alguns centímetros e ficar quase encostada na boca de Marcus. — Só uma noite para sentir como é ser beijada por você.

Nicole quase podia saborear o beijo dele, sabia o quanto ele queria se debruçar sobre ela e aceitar o que estava lhe oferecendo. Os olhos dela estavam se fechando, seus lábios estavam entreabertos. De repente, sentiu um ar frio percorrê-la quando ele a soltou e se afastou.

— Seria melhor para nós dois se não chegássemos a esse ponto.

Raiva e vergonha tomaram conta dela.

— Você não me conhece para saber o que é melhor para mim!

E, sinceramente, estava irritada demais para querer contar a ele quem realmente era. Ele teria que descobrir do jeito mais difícil, ligando seu computador ou abrindo uma revista e vendo as fotos.

— Está certa. — Um músculo saltou no maxilar dele. — Tudo o que sei é que você é linda e jovem demais, meiga demais, e que não posso nem pensar em fazer tudo aquilo com você. Cometi um erro ontem à noite e não vou piorar tudo agora.

Jovem.

Meiga.

Erro.

Queria vomitar.

E ela que pensara que fosse se arrepender por não ter coragem de lhe pedir para passar a noite com ela. Que idiota, que presunçosa havia sido ao achar que ele pularia de cabeça diante da oportunidade de ficar com ela de novo.

Quando fora a última vez que alguém dissera não para Nick?

Bem, ela não era uma pop star famosa neste momento; era simplesmente uma mulher que queria um homem.

Um homem que, evidentemente, não poderia ter, pois, para ele, ela não passava de um grande e doce engano.

Afastando-se dele, tirou seu celular da bolsa e chamou um táxi, dando ao motorista o endereço que lembrava Marcus ter dito na noite anterior. Depois de desligar, ficou terrivelmente tentada a sair da casa pisando duro, como a menininha que ele julgava que ela fosse. Deus sabia que seria muito mais difícil erguer a cabeça como uma mulher madura e assumir as consequências.

Mas era isso que faria, que inferno!

Voltando-se para ele com um sorriso falso, disse educadamente:

— Obrigada por não abusar de mim ontem à noite.

Aquele músculo saltou de novo no maxilar esculpido dele.

— Não precisa me agradecer por nada.

Ela deu de ombros e o demônio que a estava atormentando a fez acrescentar:

— Claro que tenho. Esta manhã, poderia ter acordado na cama de um homem, violentada e exausta de tanto transar a noite toda. Em vez disso, continuo tão pura e inocente quanto a Branca de Neve e absolutamente descansada. — Ergueu o canto dos lábios ainda mais para cima, dando um sorriso que nem de longe era sincero. — Graças a você, cavalheiro perfeito. — Ela esticou a mão. — Adeus, Marcus.

Ele olhou para a mão esticada e começou a mover-se em direção a Nicole para envolver a mão dela com a sua.

Ai, não. Deveria ter pensado melhor sobre esse negócio de apertar a mão; deveria ter se lembrado de que seu corpo ardia em brasa cada vez que ele a tocava.

Porque ele tinha esse dom misterioso de reduzir suas entranhas a uma pilha de cinzas.

— Que inferno! — ele disse em uma voz baixa e rouca. — Eu não deveria querer você tanto assim.

Ela mal compreendera o que ele dissera quando ele a puxou, esmagando sua boca com a dele.

O beijo — o primeiro beijo deles — foi algo além do que jamais havia experimentado na vida. Cada milímetro do desejo e da frustração dele, tudo que estaria negando a si mesmo caso a deixasse partir, derramava-se da boca dele para dentro dela.

Ele não a saboreou suavemente, nem tentou conhecer as curvas e os contornos de sua boca. Em vez disso, tomou o que queria... e deu a ela algo que Nicole nunca soube que quisesse.

Nicole gostava de ter o controle de tudo, especialmente depois da traição de Kenny. Pela primeira vez, depois de muito tempo, ela cedeu esse controle a um homem que sabia exatamente o que fazer com ele.

A língua dele dominava a dela, os dentes lhe mordiscavam os lábios, e ela se pegou arfando e gemendo como se estivesse passando por um túnel longo e estreito.

E, então, tão rápido quanto começou, terminou.

— Puta merda. Não queria fazer isso. — A expressão dele era de frustração. — Você precisa ir embora, Nicole. Agora!

Ela piscou para ele, tentando clarear a visão, quase dizendo que esse primeiro beijo não poderia ser o fim, pois havia sido o início mais glorioso que ela jamais vira. Mas, então, olhou bem para o rosto dele e viu o jeito como seus olhos estavam completamente encobertos, totalmente fechados.

E ela soube que não valeria a pena.

Ele não tinha mais nada para dizer a ela.

E ela precisava virar essa página também.

Por sorte, foi nesse momento que o táxi chegou e o taxista bateu na porta da frente. Ela e Marcus não haviam trocado telefones nem mencionado sobrenomes. Ela não fazia ideia de como encontrá-lo, a não ser acampando nos degraus da frente da casa do irmão dele.

Era o fim.

Isso era realmente um adeus.

Ela não se deixaria levar pela vontade de olhar para Marcus pela última vez. Simplesmente virou-se e foi embora.

CAPÍTULO CINCO

Marcus não conseguia parar de pensar em Nicole.

Desde o primeiro momento que a vira na boate, achara-a maravilhosa. Absolutamente sexy naquele vestido de couro, as pernas nuas bem torneadas e elegantes naqueles saltos agulha.

Entretanto, quando se virara na cozinha e a vira sem maquiagem, com as bochechas enrubescidas pelo que ele imaginara ser vergonha por terem que conversar em plena luz do dia, seu coração, de fato, parara de bater por alguns minutos.

Como ela era fantástica. E parecia tão jovem. Apesar de ter-lhe dito que tinha 25 anos, a culpa lhe corroía o estômago só de pensar no que quase havia feito com ela na noite anterior.

— Marcus, o que acha?

Olhou para os homens que esperavam sua decisão sobre as novas rolhas a serem usadas para a última safra. Pelo canto do olho, viu sua assistente, Ellen, com a testa crispada, obviamente confusa pela falta de concentração dele, o que era uma raridade.

— Os materiais que estão usando parecem estar bem próximos daquilo que estamos procurando — ela lhe disse. Ellen ergueu o iPad para que ele pudesse ver a planilha. — Obviamente, precisamos revisar os documentos e minhas anotações um pouco melhor antes de assinar qualquer contrato.

Ellen começara a trabalhar na sala de degustação e ele rapidamente percebera que, ao mesmo tempo que tinha muito jeito com os clientes que vinham degustar seus vinhos, ela era inteligente e rápida demais para ser desperdiçada ali. Mais uma vez, ela estava provando que o investimento havia valido a pena.

— Claro — Marcus concordou —, as especificações parecem boas. Vamos revisá-las um pouco mais e dar um retorno a vocês.

O celular tocou e ele olhou para baixo, esperando, por um momento, que fosse Nicole, apesar de saber que isso seria impossível. Não havia dado seu número a ela. E ele não tinha o número dela.

Fizera isso de propósito, sabendo que qualquer pista que tivesse o levaria diretamente de volta para ela.

Especialmente depois daquele beijo.

Meu Deus. Aquele beijo.

Ela tinha um gosto tão bom. Um gostinho de café, uma pitada de pasta de dente, mas nada disso conseguira disfarçar sua própria essência doce.

Depois do que acontecera, perguntava-se a cada segundo qual seria o gosto da pele dela. Não só a de seu rosto, ombros e seios, mas também a pele entre suas pernas, enquanto se abriam para...

O rosto de Lori, sua irmã, apareceu na tela do celular e então ele percebeu que estava fazendo tudo de novo: perdendo o fio da meada de tudo, exceto de Nicole.

— Com licença, preciso atender — disse ao grupo antes de se afastar da mesa e andar até o corredor.

A família sempre vinha em primeiro lugar para Marcus, exatamente como Jill havia acusado. Se um de seus irmãos ou irmãs ou mesmo sua mãe precisasse dele, ele faria o que pudesse para estar com eles. Mesmo antes de seu pai morrer, como filho mais velho, sempre houvera um peso de responsabilidade instintivo sobre seus ombros. Claro que, após a morte do pai, esse peso tornara-se infinitamente maior.

— Oi, Mazinha! — ele atendeu, usando o apelido que Chase dera a Lori anos atrás.

Ele quase podia ver a expressão dela, aquele olhar irritado que tinha toda vez que alguém a chamava desse jeito. Apesar dos protestos de Lori, Marcus sabia que não era bem assim; Lori definitivamente gostava que as pessoas pensassem que era um pouco ousada, principalmente porque teria detestado ser chamada de *Boazinha*, como sua irmã gêmea, Sophie.

— Ainda está na cidade?

— Estou quase terminando minha última reunião.

— Ótimo!

A energia de Lori era palpável até mesmo pelo telefone. A dança era a carreira perfeita para ela, considerando que tinha mais energia que duas pessoas juntas. Ela havia sido um terror quando bebê e, depois, na pré-escola. Uma verdadeira gracinha aterrorizante, que sabia exatamente quando sorrir para ganhar o que queria ou quando chorar para escapar das enrascadas.

— Tem tempo de dar uma passada aqui para ver a filmagem do clipe antes de voltar para Napa?

— Não perderia por nada deste mundo. Passe uma mensagem de texto com o endereço e eu saio daqui agora.

Ellen tinha as coisas sob controle. E, já que não conseguia se concentrar em nada hoje, a reunião continuaria melhor sem ele.

Desligando o telefone, caminhou de volta à sala de reuniões.

— Preciso sair mais cedo, mas, como já sabem, a Ellen sabe muito bem do que estamos precisando e pode tocar a reunião a partir de agora.

Ela sorriu brilhantemente para ele, obviamente satisfeita que ele confiasse o suficiente em suas habilidades a ponto de deixá-la responsável pelas negociações. Ele despediu-se com apertos de mão e disse um *obrigado* silencioso a Ellen. O *de nada* era evidente no sorriso com que ela lhe retribuiu.

Lori era exatamente a pessoa que ele precisava ver. Apesar de Smith ser um astro de cinema, ela não havia conseguido o emprego para trabalhar no clipe de uma pop star por meio das conexões dele. Havia dado duro para conseguir esse trabalho, por conta própria, e Marcus, assim como todos os outros, tinha muito orgulho dela.

Ele e Lori sempre tiveram um relacionamento especial e estava feliz por ela tê-lo chamado para vê-la trabalhar.

Era a maneira perfeita de esquecer Nicole de uma vez por todas.

Nicole levou a garrafa de água até os lábios e secou-a. Todos trabalharam muito na preparação para a filmagem que começaria no dia seguinte. Produzir um clipe nunca era barato, mas, assim que as câmeras começavam a gravar, os custos subiam exponencialmente. Nicole e o restante dos bailarinos precisavam estar prontos, "em ponto de bala", quando o diretor entrasse na sala na sexta-feira de manhã.

No dia anterior, ela pensara que estivesse pronta. No entanto, hoje havia sido um desastre.

Ela não conseguia se concentrar; não depois do telefonema que recebera de sua agente publicitária depois de ter pegado o táxi. Nicole sempre queria que Sandra a informasse sobre quaisquer fotos que visse circulando dela e de qualquer outro astro da semana com quem ela supostamente estaria saindo. Assim, estaria preparada para lidar com as perguntas.

Esta manhã, Sandra havia ido direto ao ponto:

— Acabei de ver fotos suas saindo de uma boate com um cara que não reconheço.

Embora Nicole estivesse esperando por isso, seu coração praticamente parara de bater. Principalmente porque ficara muito chateada por ter o orgulho ferido, por Marcus tê-la rejeitado, por não ter dito a ele quem ela era e que talvez alguma notícia inesperada na mídia pudesse cruzar o caminho dele em um futuro bem próximo.

Ela havia estragado tudo. E era ainda muito pior, pois nem havia experimentado o prazer que queria para acompanhar tudo isso... Sobrara apenas o orgulho ferido.

Teve que perguntar, mesmo não querendo saber da verdade:

— São muito ruins?

— Felizmente — Sandra respondeu —, são fotos amadoras. Ambos os rostos estão borrados demais para que qualquer um se dê ao trabalho de espalhá-las por aí, mas você precisa tomar mais cuidado da próxima vez.

Nem diga. Depois de escapar do tiro por pouco, havia jurado ser a pessoa mais cuidadosa do planeta a partir de agora.

Mesmo assim, enquanto repassavam a complicada coreografia uma vez depois da outra, ela ainda não conseguia parar de pensar na noite de ontem — e na manhã de hoje — com Marcus.

A letra de *Um Momento* não estava ajudando em nada.

Foi apenas um momento
Um olhar nos seus olhos
Um toque nos seus lábios
Pra saber que é você

Na tarde em que escrevera aquela canção, estava ouvindo *From This Moment On*, de Cole Porter. Tudo ainda parecia ser um mar de rosas na vida dela, e tivera tanta sorte até então que acreditava que o amor verdadeiro era somente mais um presente esperando por ela a qualquer momento. Havia escrito *Um Momento* como uma ode ao futuro amor e havia até mesmo incorporado à sua música alguns acordes do clássico de Cole Porter. A produtora dela havia adorado, achando a versão inovadora e cativante. O fato de eles serem os donos das licenças das canções clássicas de Cole Porter ajudara, pois acharam que as vendas destas também aumentariam.

Obviamente que, assim que as coisas com Kenny se desmantelaram, ela não quisera gravar a música. Sentira-se uma tola por ter, algum dia, acreditado em um momento, em um beijo, em um toque que pudesse mudar tudo. Entretanto, a produtora insistira para que essa música fosse seu primeiro *single*. E ela sabia que estavam certos, que não podia deixar Kenny e o estrago que causara à sua vida tirarem a alegria que a música lhe proporcionava. Assim, gravara a música, colocando nela cada pedacinho de seu coração e de sua alma.

No entanto, apesar de ter superado aquele grande obstáculo meses atrás, hoje ela se encontrava diante de um novo desafio.

Não conseguia parar de pensar em Marcus toda vez que chegavam ao refrão.

Não conseguia parar de ver o rosto dele, sentir as mãos dele segurando as dela.

E não conseguia se recuperar daquele beijo.

Deram 30 minutos de folga para os bailarinos tomarem café antes de voltarem para fazer tudo de novo por mais ou menos uma hora e, então, juntarem tudo. Sabia o quanto todos estavam decepcionados com ela. Nunca planejara ser bailarina, nunca treinara como eles, mas sempre gostara de mexer o corpo e havia aprendido alguns movimentos muito legais ao longo dos anos.

Contudo, ninguém adivinharia isso ao vê-la dançando hoje.

Até mesmo Lori, sua coreógrafa animada — e extremamente positiva —, parecia chateada.

O som da risada de Lori chamou a atenção de Nicole do outro lado da sala. Um pouco mais cedo, Lori havia perguntado se poderia convidar o irmão para vir dar uma olhada. Sendo uma pessoa pública já havia tanto tempo, Nicole não estava particularmente preocupada em ter mais uma pessoa observando-a.

Podia ver o quanto Lori adorava o irmão pela maneira como estava feliz enquanto conversava com ele. Não que Lori alguma vez ficasse infeliz, sempre com uma risada pronta e um brilho travesso nos olhos.

— Boas notícias — Lori disse enquanto atravessava o grande estúdio de dança com um sorriso nos lábios. — Meu irmão mais velho está vindo para cá agora.

— Ótimo! — Nicole respondeu, tentando parecer entusiasmada, apesar de ser se sentido meio baixo-astral o dia todo.

No entanto, Lori era muito perspicaz.

— De verdade, Nick, pode me dizer se não quiser vê-lo por aqui. Posso encontrá-lo mais tarde.

Nicole balançou a cabeça e obrigou-se a dar um sorriso mais largo e mais convincente.

— Eu realmente não me incomodo.

Lori franziu o cenho.

— Está tudo bem?

— Sei que estou um horror hoje. Peço desculpas.

Lori esticou a mão e tocou o braço de Nicole.

— Não, você está ótima. Mas parece um pouco... — ela parou — ... bom, triste, eu diria.

Nicole sabia que não deveria falar sobre sua vida pessoal com ninguém relacionado a seu trabalho, mas Lori parecia diferente da maioria das pessoas com quem Nicole já trabalhara. Mais legal; de alguma forma, mais honesta.

Parecida com Marcus.

Mesmo sabendo que deveria manter a boca fechada, pegou-se dizendo:

— Conheci um cara ontem à noite.

Os olhos de Lori se arregalaram.

— Um cara lindo?

Nicole estava feliz por ter outra oportunidade de sorrir.

— Sim, muito lindo. — Sentiu necessidade de dar uma explicação.

— Mas não aconteceu nada. A não ser eu ter caído no sono antes mesmo de nos beijarmos.

— Ah — Lori respondeu, claramente pega de surpresa. — E como ele reagiu?

— Muito bem, na verdade. Ele fez café para mim hoje de manhã. — E então dissera que a achava jovem e meiga demais para ele.

— Café? Só isso?

Ela suspirou.

— Na verdade, ele me beijou. Só uma vez.

— E?

— E foi maravilhoso.

— Maravilhoso é bom, né?

— Não quando também significa adeus — Nicole respondeu.

Lori parecia confusa.

— Espere aí, então ele beijou você e foi só isso?

— Foi. E, por alguma razão, essa coisa toda está mexendo com minha cabeça. Sinto muito, Lori, não costumo ser assim. Especialmente não por causa de um cara que acabei de conhecer e que não vou ver nunca mais na vida.

Quando Lori não comentou nada durante alguns segundos, Nicole começou a entrar em pânico. O que estava fazendo, compartilhando todos os seus segredos com alguém que ainda era, para todos os efeitos, uma estranha? Já não havia se dado mal o suficiente para saber que não deveria fazer isso?

— Olha, eu não devia ter dito nada.

Antes que pudesse terminar a frase, Lori estava jogando os braços em volta dela, dizendo:

— Entendo muito bem como é isso. Os homens são uns babacas. — Ela pareceu um pouco culpada quando se afastou. — Tem uma coisa que deveria ter contado a você antes. Sou parente do Smith Sullivan.

— Uau! — Nicole já tinha encontrado Smith em alguns eventos da indústria nos últimos anos. Alguma coisa puxou sua memória. — Se é irmã dele, então, vocês não têm, mais ou menos, uns doze irmãos?

Lori gargalhou.

— Na verdade, não. Somos oito. Apesar de que tenho certeza de que, para minha mãe, foi como se fôssemos doze.

Nicole não conseguia entender uma coisa:

— Por que não queria que eu soubesse disso?

— Odiaria que alguém me contratasse só por causa dele.

— Nunca faria isso.

— Sei disso agora — Lori respondeu. — Me desculpe por não ter sido tão honesta.

Depois da noite anterior, Nicole era a rainha dos desonestos.

— Não esquente a cabeça com isso, Lori. Realmente não faz diferença nenhuma quem é seu parente.

Lori sorriu e então disse:

— Se o cara que conheceu ontem à noite não entendeu o quanto você é absolutamente maravilhosa e o quanto ele é sortudo por tê-lo deixado beijar você, então não merece estar com você, de qualquer jeito.

Nicole percebeu-se disfarçando as lágrimas. As pessoas eram sempre legais com ela. Porque ela era uma estrela, porque tinha poder em uma indústria que sobrevivia de poder, porque queriam algo que achavam que ela pudesse lhes dar.

Mas as pessoas raramente eram legais com ela *só por serem legais.*

A campainha do estúdio tocou e Nicole achou que os bailarinos já houvessem voltado do intervalo. Ficou em pé e caminhou até a barra da parede espelhada para se alongar, antes de começarem o ensaio de novo.

Sua cabeça estava nos joelhos quando ouviu Lori dar um gritinho de alegria.

— Viva, você chegou!

Nicole sorriu e estava quase a ponto de levantar a cabeça para o homem a quem Lori claramente idolatrava quando ouviu a voz que ressoava por todas as células de seu corpo:

— Então, é aqui que a mágica acontece, hein?

Ai, meu Deus.

Como é que o irmão mais velho de Lori podia ser Marcus?

E quem poderia dizer que, no final das contas, não faria uma grande, uma enorme diferença quem era parente de Lori?

CAPÍTULO SEIS

Não.

Puta merda!

Marcus ficou paralisado sob o abraço de sua irmã enquanto olhava para a única outra pessoa na sala.

Nicole.

O que diabo ela estava fazendo aqui?

Pela maneira como estava vestida, com uma camiseta curta de barriga de fora e shorts curtos e bem apertados, podia perceber que ela era uma bailarina. Era muito azar que ela fosse justamente uma das bailarinas de Lori.

Mas o que deveria ser azar, na verdade, não era.

Porque, independentemente de quantas vezes dissera a si mesmo que afastar-se dela naquela manhã havia sido a coisa certa a fazer, ele até agora não havia se convencido disso. Não quando seu corpo e sua mente estavam em absoluto conflito.

E não quando ele queria pegar aquele beijo e transformá-lo em um emaranhado de corpos e prazer, dia e noite.

Na noite passada, ele pudera ver como o corpo dela era lindo naquele vestido de couro, mas agora ela estava quase nua, somente com as mais finas camadas de algodão e lycra cobrindo suas curvas de tirar o fôlego.

E — *ah* — aquilo era uma gota de suor descendo entre seus seios?

Lori voltou a abraçá-lo e ele se obrigou a desviar o olhar de Nicole. A irmãzinha olhou para ele, estudando-o com mais cuidado que o normal.

— Deu tudo certo nas suas reuniões de hoje? Você parece um pouco tenso.

Ele tentou manter a atenção na irmã e não naquela mulher absolutamente fantástica ao lado da parede de espelhos.

— Foi tudo bem.

Lori franziu o cenho diante da resposta seca dele. Ela sempre fora fascinada pela indústria do vinho e ele geralmente compartilhava os detalhes de seus negócios com ela. Não só porque ela se interessava pelo assunto, mas também porque tinha muitas ótimas ideias. Se ela não fosse uma bailarina e uma coreógrafa tão boa, ele a teria contratado assim que saíra da faculdade.

— Tem alguma coisa errada. — Ela não disse isso em tom de pergunta. — Mais tarde. Vou fazer você me contar tudo mais tarde. — E, então, deixou cair uma das mãos dele e usou a outra para puxá-lo na direção de Nicole, que os observava com cautela. — Venha aqui. Mal posso esperar para apresentá-lo à Nick.

Nick?

Alguma coisa passou por sua cabeça, uma sensação de que deveria saber algo a que não prestara atenção ontem à noite, mas estava tão atordoado por ver a mulher sobre a qual havia fantasiado o dia todo que não conseguia entender nada.

— Nick, este é meu irmão Marcus.

Nicole — Nick não lhe soava bem, embora sua irmã tivesse pronunciado o nome com tanta confiança — estava apertando a barra de madeira em frente ao espelho com tanta força, que as juntas dos dedos estavam quase brancas. Seu rosto também estava meio pálido, e ela não estava fazendo nada para disfarçar o horror por vê-lo novamente.

A culpa atravessou o peito de Marcus. Ela havia dado a cara a tapa, pedindo mais uma noite com ele, e ele a rejeitara friamente. Com exceção do beijo, que havia sido qualquer coisa, exceto frio.

E agora, aqui estava ele, infiltrado no show de dança de uma grande estrela pop.

Vê-lo novamente deveria ser a última coisa que ela queria.

Lori olhava de um para o outro, com uma expressão absolutamente confusa. Sabendo que era melhor quebrar o gelo — e rápido — antes que sua irmã adivinhasse o quanto as coisas iam mal, ele esticou a mão e disse:

— É um prazer conhecer você.

Nicole olhou para a mão dele por um longo tempo antes de encará-lo com aqueles olhos grandes que o assombraram o dia todo. Os movimentos dela eram automáticos, quase robóticos, quando finalmente afastou-se da barra e colocou sua mão sobre a dele.

— Olá. — Ela pigarreou enquanto retirava a mão. — É um prazer conhecer você também.

O silêncio caiu pesado e espesso antes de ele perguntar:

— Então, há quanto tempo trabalham juntas?

Lori deu outra olhada estranha para ele.

— Você sabe que estou trabalhando na filmagem deste clipe nos últimos dois dias.

Tudo bem, então; Nicole devia ser uma das novas bailarinas dela. Mas, antes que pudesse fazer mais perguntas ou dizer alguma bobagem para deixar Nicole mais à vontade, um grupo grande atravessou a porta. Ele reconheceu a maioria deles como os homens e mulheres com quem Lori já havia trabalhado antes, e eles acenaram para cumprimentá-lo.

— Tem um vinho para nós, Marcus?

Ele sorriu, mas o sorriso não caiu bem em seu rosto, não com Nicole ainda olhando para ele como se sua presença fosse total e completamente indesejada.

— Vou providenciar para que tenha uma caixa esperando por vocês quando acabarem — ele prometeu. Voltou-se outra vez para Lori. — Parece que você tem que voltar ao trabalho. Vou sair do seu caminho.

Ela colocou a mão no braço dele.

— Queria que ficasse e assistisse. — Ela olhou para Nicole. — Não tem problema se ele ficar por aqui, tem?

Nicole lambeu os lábios, parecendo incerta. E, então, sorriu, um movimento nos lábios que parecia tão natural quanto o sorriso que ele mesmo acabara de dar aos bailarinos.

— Claro que não. — Os lábios dela se abriram em um sorriso ainda mais largo, quase uma careta. — Ele deveria ver a mágica que você criou, Lori.

Finalmente, ela olhou de volta para Marcus, seus olhares conectados e em sintonia por um longo momento, até que ela disse:

— Sua irmã é fantástica!

Nicole era tão linda — tão incrivelmente vulnerável ali em pé, na frente dele — que teve que se concentrar muito só para pronunciar as palavras:

— Eu sei.

Eles permaneceram assim mais do que deveriam, olhando fixamente um para o outro sem dizer nada. Finalmente, Lori pediu:

— Sente-se aqui onde ninguém possa lhe acertar um chute sem querer.

Alguém ligou a música enquanto ele e Lori se afastavam de Nicole.

— Nunca pensei que fosse se comportar assim perto dela — ela sussurrou.

Marcus franziu o cenho, refletindo a expressão da irmã. Será que Nicole havia contado à irmã sobre o encontro com ele? Sobre ir até a casa de Smith e pegar no sono no colo dele?

Não. Lori não seria capaz de guardar segredo sobre isso. Ela teria ligado horas atrás e exigido saber o que havia dado nele para sair com alguém do trabalho dela.

— A Nick tem que lidar com pessoas gaguejando e agindo de forma estranha perto dela o dia inteiro, igual ao Smith. Pedi que viesse porque sabia que você nem ligaria para a fama dela e não faria um estardalhaço sobre isso.

Enquanto levava uma bronca de sua irmãzinha pela maneira como se comportara, uma luz se acendeu na cabeça de Marcus.

Que merda!

— A *Nicole* é a pop star para quem você trabalha?

Lori olhou-o como se ele houvesse deixado o cérebro para fritar na calçada.

— O nome dela é Nick. E você sabe que foi ela quem me contratou para trabalhar no clipe. Por que está tão estranho?

Marcus subitamente percebeu de onde vinha aquela sensação de familiaridade que havia sentido na noite passada. Lori devia ter mostrado fotos de Nicole depois que fora contratada para trabalhar no clipe, mas tudo de que ele conseguia se lembrar era de muita maquiagem e um macacão brilhante.

Graças a Deus, Lori não teve tempo para esperar a resposta dele, pois um dos bailarinos precisava de sua orientação. Com um último olhar de decepção para ele, a irmã voltou para a pista de dança.

Nicole estava de costas, e ele podia ver o rosto dela refletido no espelho. Meu Deus, não conseguia parar de olhar para ela. O cabelo dela estava puxado para cima em um rabo de cavalo e ele podia perceber o quanto já havia dançado pelas mechas de cabelo molhado enroladas ao redor do rosto.

Todas as bailarinas tinham corpos incríveis, mas, para Marcus, a forma curvilínea dos quadris e dos seios de Nicole era capaz de deixá-lo ereto no meio do estúdio.

Os olhos deles encontraram-se brevemente no espelho e ela rapidamente abaixou a cabeça. Lori foi até Nicole e colocou a mão sobre seu braço, abaixando-se para dizer alguma coisa. Nicole balançou a cabeça, então se posicionou.

Um segundo depois, Lori ligou a música e Nicole entrou em ação.

Meu Deus, ela é linda.

Marcus ficou fascinado quando ela, no centro do grupo, dançou e cantou acompanhando uma música surpreendentemente boa. Não era à toa que ela era uma estrela — era impossível tirar os olhos dela.

Ele lembrou-se da maneira como ela chamara a atenção de todo mundo na boate, simplesmente entrando no salão. Agora, sabia que parte disso era porque era famosa, mas, mesmo que fosse uma mulher comum, ainda assim as pessoas parariam para olhar.

Enquanto suas curvas se movimentavam e arranhavam a lycra fina que lhe cobria a pele, Marcus não conseguia parar de imaginar como ela seria nua, a pele macia brilhando pelo esforço de contorcer-se embaixo dele na cama. Será que os olhos dela brilhariam para ele do mesmo jeito que faziam quando ela cantava? Como será que aquelas pernas e braços fortes e flexíveis se sentiriam envolvendo os quadris dele enquanto ele a penetrasse? Qual seria o gosto dela? Será que os mamilos eram tão doces quanto sua boca? Será que estava depilada entre as pernas, sem nada além de tesão?

Como se houvesse lido os pensamentos dele, Nicole tropeçou de repente, derrubando um bailarino. Mais que depressa, Lori desligou a música.

Ele sabia que deveria ir embora, que estava tirando a concentração dela. Mas não iria a lugar nenhum.

Marcus Sullivan não achava certo esconder-se dos próprios erros. Que inferno, seu relacionamento com Jill fora a única vez que tentara se convencer de que algo errado estava certo. Deveria ter confiado em seu instinto, porém estava focado naquilo que queria ver, em vez do que realmente estava à sua frente.

Sabia exatamente o que havia entre ele e Nicole, faíscas que se acendiam e trepidavam, tão luminosas e quentes que ele ainda podia sentir o fogo daquele único beijo.

Havia sido um idiota em rejeitá-la.

Ele não seria um idiota ainda maior indo embora de novo.

CAPÍTULO SETE

Por favor, vá embora se debatia com *Por favor, fique* dentro da cabeça de Nicole.

De um momento a outro, ela vacilava entre querer que Marcus fosse embora e precisar dele muito mais perto. Não era à toa que não conseguia se concentrar no ensaio, com a cabeça e o corpo em direções completamente diferentes durante todo o tempo em que ele a observava com aqueles olhos escuros e famintos, que ela nunca poderia tirar da cabeça.

À noite, quando finalmente terminaram o ensaio, os bailarinos foram saindo um a um, rapidamente, deixando-a sozinha com Lori... e Marcus.

Nicole já superara a fase do nervosismo havia muito tempo. Tinha que fazer isso se quisesse chamar atenção com sua música. Entretanto, Marcus a deixava incrivelmente nervosa, de um jeito como nunca sentira antes.

Guardando o restante de suas coisas dentro da bolsa de dança, ela ia dizendo:

— Obrigada por trabalhar tanto conosco hoje, Lori. Vejo você ama... — Quando ouviram uma batida na porta e um cara usando uma camiseta do Mel's Diner entrou carregando várias sacolas enormes, cheias de comida.

— Marcus, que maravilha ter pensado em pedir comida! — Lori bateu palmas. — Esses são os melhores hambúrgueres com batatas fritas do mundo, Nick. Você pode ficar para comer alguma coisa, não pode?

Nicole olhou para Lori, ansiosa. O que Marcus estava fazendo? Havia esquecido que a rejeitara descaradamente naquela manhã? Será que não percebia o quanto aquilo era desconcertante para ela?

— Adoraria, mas acho melhor dar a noite por encerrada. Além do mais, vocês dois provavelmente têm que colocar a conversa em dia, então, obrigada, mas...

— Fique para jantar. Por favor.

As palavras roucas de Marcus a tocaram a ponto de ela quase sentir que se debruçava sobre ele. Não havia sido um pedido, tampouco uma ordem. Mas, o que quer que fosse, fizera o cérebro dela derreter. Assim como aquele único beijo havia lhe tirado todo o controle naquela manhã.

Momentos depois, viu-se sentada com eles na mesinha perto da janela, desembrulhando o hambúrguer que não conseguiria comer de jeito nenhum. Pelo menos, não com Marcus tão perto a ponto de fazer seu estômago se apertar.

— Então, o que achou, Marcus? A Nick não é fantástica?

Nicole sentiu que seu corpo todo enrubescia. Durante o ensaio, ela tentara manter o mínimo de contato visual com ele, pois, cada vez que o olhava sem querer, perdia o passo. Como passaram a música muitas e muitas vezes, não havia conseguido ler a expressão dele, não podia dizer se ficara impressionado com ela... ou se achara sua música — e sua dança — uma porcaria total. Disse a si mesma que não se importaria se ele gostasse ou não. Afinal, homens de 36 anos não eram seu público-alvo.

— Você escreveu aquela música?

— Escrevi.

Os lábios dele esboçaram um sorriso.

— É muito talentosa.

No momento em que o telefone de Lori começou a vibrar sobre a mesa, Nicole finalmente soltou a respiração que, sem perceber, estivera segurando. Quem quer que estivesse ligando fez Lori pular e dizer:

— Desculpe, gente, só um minutinho.

Pela expressão de Marcus, Nicole pôde ver que ele não estava feliz nem com o nome nem com o rosto que apareceram no telefone da irmã. Conforme prometido, Lori voltou depois de mal dizer duas palavras ao interlocutor. Porém, estava ruborizada e agitada.

— Peço mil desculpas, mas me esqueci completamente de algo que prometi resolver hoje à noite. Você vai ficar bem sem mim até amanhã, Nick?

Dava para perceber que havia algo errado. Nicole não queria causar ainda mais estresse na vida de Lori, então, respondeu:

— Claro que sim. Não se preocupe nem um minuto a mais.

Aliviada, Lori virou-se para o irmão e perguntou:

— Marcus, pode levar a Nicole sã e salva de volta ao hotel?

— Claro — ele respondeu no mesmo momento em que Nicole dizia:

— Eu pego um táxi.

No entanto, Lori não pareceu ouvir nenhum dos dois enquanto se despedia de Nicole com um abraço e se desculpava de novo por precisar ir embora tão repentinamente. Nicole pegou seu hambúrguer e o jogou no lixo enquanto Marcus acompanhava a irmã até a porta.

Ela não queria escutar a conversa alheia, mas os dois não estavam conseguindo manter a voz em um tom baixo; assim, não havia nada a fazer além de ouvi-los.

— Achei que você não estivesse mais se encontrando com ele. Não tínhamos concordado que ele não é bom para você e que pode arrumar coisa bem melhor?

— Eu não estou mais com ele... e é complicado.

— Pelo menos, me ligue quando chegar em casa hoje à noite, para eu ter certeza de que está tudo bem com você.

— Já sou uma mocinha, Marcus. Não tenho mais horário para o toque de recolher.

Ele era o irmão perfeito e protetor. Nicole podia sentir-se derretendo ainda mais com cada palavra que saía da boca daquele homem. Pois, embora devesse tentar manter-se alerta, vê-lo tão preocupado com a irmã tocava-a de uma maneira muito profunda.

Quando ele voltou, passando a mão sobre os cabelos, Nicole perguntou:

— Está tudo bem?

Ele balançou a cabeça.

— Não sei. Ela diz que eu me preocupo demais, mas não consigo ser diferente.

Certa de que estava fadada a fazer alguma coisa realmente idiota se ficasse ao lado dele por mais tempo, Nicole disse:

— Não estou com fome, então vou pegar um táxi e voltar para meu hotel.

Antes que ela pudesse dar a volta e sair, ele perguntou:

— Por que não me disse quem você era? — O desejo ainda estava nos olhos dele, agora juntamente com uma ponta de raiva que Nicole não pôde deixar de notar.

Odiando sentir-se tão vulnerável ao lado dele, Nicole sabia que soava defensiva quando respondeu:

— Não menti para você. Meu nome é Nicole.

— Deveria ter me dito que você também é Nick. Por que não disse?

— Você não entenderia.

— Tente.

Ela não queria dar explicações a ele, mas sabia que estava sendo teimosa e irracional. Marcus tinha razão em achar que não fora justo manter o segredo sobre a fama dela, especialmente se as fotos tiradas dos dois na boate fossem boas o suficiente para serem publicadas. E, por algum motivo, ela queria que ele compreendesse.

— Achei que seria legal poder ser normal por uma noite. — *Ser eu mesma de novo.* — Quase nunca encontro alguém que não saiba quem eu sou.

— Nick.

Ela não gostou do modo como ele pronunciou seu nome artístico; não gostava da ideia de Marcus tratando-a como todo mundo fazia.

— Meu nome é Nicole. E eu realmente preciso ir embora agora.

A última coisa que esperava que ele dissesse enquanto ela dava meia-volta e ia em direção à porta era:

— Eu estava errado, Nicole.

Uma mulher de bom senso não teria parado; teria continuado andando, atravessado a porta e pegado um táxi para levá-la de volta à sua cobertura enorme e solitária.

Mas, então, Nicole pensou desesperadamente, qual era o lance com Marcus, que sempre a fazia cometer os erros mais bobos possíveis? Tinha certeza de que não deveria voltar até ele e dizer:

— Sobre o que você estava errado?

Embora não houvesse se aproximado dela, a maneira como Marcus a olhava, sem nenhuma das reservas de hoje de manhã, fazia Nicole sentir-se como se ele a houvesse tomado em seus braços.

— Sobre esta noite.

Todos os desejos e esperanças que havia tentado esconder imediatamente vieram à flor da pele.

Tentando salvar-se pela última vez, ela disse:

— E o que aconteceu com todos os motivos de hoje de manhã? O que aconteceu com o fato de eu ser muito jovem? E com o erro gigantesco que estava tão feliz por não ter cometido?

— Peço desculpas pelo que disse hoje de manhã — ele começou, para depois prosseguir: — Quero passar uma noite com você, se você ainda quiser passar uma noite comigo.

As palavras dele eram como uma carícia sobre a pele dela. Ele não respondera à pergunta, e ela sentiu que a questão da idade ainda era um problema para ele. Porém, do mesmo modo que ela parecia não conseguir se afastar dele, ele também parecia não conseguir se afastar dela.

— Sabe que ainda quero você.

As palavras mal saíram dos lábios dela quando ele pegou-lhe a mão e puxou seu corpo, apertando-o contra o dele.

— Ainda bem, porque passei o dia todo com vontade de beijar você.

E, quando se deu conta, os lábios dele estavam pressionando os dela, a língua dele, de repente, dentro da boca de Nicole, sentindo seu gosto, forçando-a a sentir o gosto dele também. Jamais havia sido beijada assim, como se ele quisesse possuí-la, de corpo e alma. Ela esqueceu-se do nervosismo, esqueceu-se de que, até Marcus, fazia seis meses que não beijava ninguém, e, mesmo antes disso, não tivera muitas experiências com beijos.

Não precisava se preocupar com nada disso com ele, percebia agora. Ele estava inteira e completamente no controle. Tudo o que precisava fazer era seguir seu comando.

Se a sensação que o beijo dele lhe causava servisse de indicação de como se sentiria ao fazer amor com ele, Nicole seria levada diretamente ao êxtase.

Os mamilos entumecidos latejavam sob o top e a camiseta, e, embora os pressionasse contra o peito dele, a dor não passava. Ela queria — precisava — de mais.

Muito mais.

Por sorte, parecia que realmente teria *muito mais*.

CAPÍTULO OITO

De mãos dadas, foram em direção às escadas do enorme estacionamento embaixo do estúdio de dança. Marcus não soltou a mão dela nem por um minuto, exceto no momento em que entrou no carro.

Profundamente envolvida pela sensação do dedo dele fazendo círculos sensuais dentro da palma de sua mão, só quando estavam quase chegando ao hotel que Nicole lembrou-se de dizer:

— Há uma entrada especial, no lado do prédio, que eu costumo usar.

Com a mão livre, ela alcançou a bolsa para pegar as chaves e deu uma sobressalente a Marcus.

— Por que não me deixa aqui e eu encontro você no meu quarto? Estou na cobertura.

A mão dele ficou tensa e ela percebeu, tarde demais, que provavelmente havia acabado de insultá-lo.

— Não é porque eu não queira ser vista com você — ela explicou suavemente, odiando o que precisaria dizer para fazê-lo compreender. — Se as pessoas nos virem juntos esta noite, se alguém tirar uma foto nossa juntos, podem pensar que somos um c...

Ela parou antes de usar a palavra *casal*. Não porque não pudesse suportar essa ideia, mas porque, de repente, a vontade de ser a companheira de Marcus foi tão grande que a deixou paralisada. Mais até que a força do desejo que já tomara conta dela.

A voz dela não passava de um suspiro quando terminou de dizer:

— Podem pensar que você e eu vamos passar mais que uma noite juntos.

Mas ela já sabia que só uma noite não seria suficiente.

O que havia de errado com ela?

Ela e Marcus foram bem claros um com o outro desde o início. Esta noite era sobre sexo, nada além de prazer físico.

E, mesmo assim, esses avisos não faziam a menor diferença.

Pois Nicole descobrira o bastante sobre ele por meio da mãe e da irmã — e do tempo em que estivera nos braços dele na noite passada — para saber que seu coração estava muito mais envolvido do que deveria.

— Você não teve problema nenhum em sair da boate comigo ontem à noite.

Querendo que ele entendesse, ela disse:

— Sabe o jeito como você estava chateado com alguma coisa ontem à noite? Bom, eu também estava e agi sem pensar. Não deveria ter ido à boate daquela maneira. E, definitivamente, não deveria ter ido embora com você.

Chegara o momento da verdade:

— Tiraram fotos nossas ontem.

Nicole recusou-se a tirar os olhos dele, embora a reação de Marcus fosse exatamente o que ela já esperava: ele estava louco da vida.

Antes que pudesse fazer perguntas, ela esclareceu:

— Minha agente publicitária me ligou pra contar. Sabia que as pessoas tirariam fotos com os celulares, mas, por sorte, a iluminação estava muito ruim dentro da boate e as fotos saíram embaçadas demais para alguém se dar ao trabalho de espalhá-las por aí. — Ela pegou o telefone para mostrar as fotos que recebera por e-mail como prova. — Aqui estão.

Marcus ficou perigosamente silencioso. Foi o suficiente para ela se forçar a acrescentar: — Entendo se você não quiser mais fazer isso. Se for complicado demais para você.

Os olhos dele iam das fotos para o rosto dela. Ele não parecia satisfeito com a situação, mas a fome, o desejo por ela ainda estava nos olhos dele. Enroscou um dedo em um cacho de cabelo de Nicole e puxou-a para junto de si.

— Não pode ser mais complicado que isso.

A boca de Marcus estava tão quente, tão doce e tão perfeita que, a cada movimento lento de sua língua, Nicole esquecia-se mais e mais de sua cautela conquistada a duras penas. Embora aquela fosse a entrada VIP, alguém poderia passar e olhar pela janela e vê-los transando dentro do carro.

Ele finalmente a soltou e disse:

— Encontro você no quarto.

As pernas dela estavam bambas e a mão tremia para abrir a porta; Nicole precisou de um tempo para recompor-se antes de entrar no hotel.

Marcus nunca conseguira entender como Smith aguentava aquela merda toda. Usar entradas particulares, receber ligações de agentes sobre fotos que haviam vazado, entrar e sair dos lugares usando disfarces não eram uma coisa normal.

Ele deu a volta até a entrada da frente e, enquanto entregava as chaves do carro para o manobrista, não podia acreditar que estava se escondendo para se encontrar com uma linda pop star.

Também não se sentia bem pelo fato de mentir a Lori sobre já conhecer Nicole. E não gostara da maneira como Nicole lhe entregara a chave do quarto do hotel, pedindo a ele para encontrá-la na cobertura.

Contudo, ele não ligaria para sua irmã para esclarecer tudo nem entraria no carro para ir embora dali, não é mesmo?

De jeito nenhum. Ele podia até ser orgulhoso, mas não era idiota.

E só um idiota desperdiçaria uma segunda chance de estar com Nicole.

Estava quase saindo da ampla área de recepção do hotel quando viu uma multidão, parecendo jogadores universitários de futebol americano, em volta de alguém. Dava para ver que estavam bêbados e, embora ele quisesse subir para encontrar Nicole o mais rápido possível, resolveu dar uma olhada no que estava acontecendo.

Saindo de seu percurso, Marcus estava quase chegando perto do grupo quando ouviu a voz dela. Sentiu arrepios subindo pela espinha ao ouvi-la pedir:

— Deem um pouco de espaço para eu respirar, pessoal.

Ele decifrou as entrelinhas do tom brincalhão da voz de Nicole e sentiu o terror se instalando.

— Cheguem para trás, todos vocês. Bem para trás.

Alguns caras olharam por cima dele e cometeram o erro de tentar ignorá-lo, como se fosse um velhote de terno. Muitos deles tinham câmeras e punham as mãos em Nicole, tentando fazê-la posar para fotos com eles.

— Ei, Nick, o que acha de tirar esse moletom enorme para todo mundo ver como você é gostosa?

Marcus empurrou o grupo tão forte e tão rápido que os estudantes rolaram como pinos de boliche.

— Tirem as mãos de cima dela! — ele esbravejou.

Como demoraram um pouco para sair, ele agarrou-os pelos ombros e enxotou todos dali.

— Quem diabo é você? O guarda-costas dela ou algo do tipo?

Os punhos de Marcus já estavam fechados, prontos para a briga, quando Nicole agarrou o braço dele.

— Sim, ele é meu guarda-costas. E sinto dizer que já estou atrasada para um compromisso. Prazer em conhecer vocês!

Ela o afastou do grupo.

— Bem a tempo — ela comentou disfarçadamente, enquanto entravam na fila indiana para os elevadores. — Eles estavam ficando um pouco chatos.

Chatos? Isso era tudo que aqueles bufões eram para ela?

Esquecendo-se de que combinaram subir separados, ele disse:

— Eles não eram só chatos; eram absolutamente perigosos.

Queria passar a mão pelo corpo dela para ter certeza de que nada havia acontecido. Mais que isso, queria levá-la para algum lugar seguro e obrigá-la a ficar ali, fora de perigo.

— Eles não eram perigosos — ela respondeu, dispensando as preocupações dele. — Não poderiam fazer nada de muito ruim no meio do lobby do hotel.

No entanto, Marcus conseguia pensar em uma dúzia de coisas que poderiam ter feito com ela, inclusive algumas maneiras de impedi-la de gritar caso precisasse de ajuda.

— Como pôde ir sozinha à boate na noite passada? E se um bando de bêbados tivesse cercado você na rua? Ou perto do bar?

— Sinceramente, esse tipo de coisa não acontece com muita frequência. Geralmente eu me lembro de colocar óculos escuros e chapéu, assim as pessoas não conseguem me reconhecer com tanta facilidade. Além disso — ela continuou com uma voz toda manhosa —, se não tivesse ido à boate, não teria conhecido você.

Ele queria fazê-la prometer que da próxima vez seria mais cuidadosa, mas, antes que pudesse fazer isso, uma família numerosa saiu do elevador. As crianças, ao verem Nicole, deram berros de estourar os tímpanos:

— Ai, meu Deus, é a Nick!

O garoto e a irmã, que não deviam ter mais que 7 ou 8 anos, se jogaram em cima dela e Nicole os pegou impulsivamente, no momento em que a abraçaram. Enquanto isso, a mãe se esforçava para tirar um carrinho de bebê enorme e pesado do elevador.

Marcus se moveu rapidamente, tentando ajudá-la antes que a porta se fechasse, e, com os braços ainda ao redor das crianças, Nicole observou-o dizer algo tranquilizador à mãe atormentada, que sorriu. No peito de Nicole, aquele ponto fraco por aquele homem lindo, a quem estava prestes a levar para cima para fazer todo tipo de baixaria, cresceu ainda mais.

— Mamãe! Precisamos da câmera para tirar uma foto com a Nick!

Neste exato momento, o bebê no carrinho começou a chorar. Considerando que a mãe parecia estar à beira de um ataque de nervos, estava claro que a última coisa de que precisava era procurar a câmera.

— Preciso cuidar da irmã de vocês — ela respondeu às crianças, já esticando o braço para tirar o cinto de segurança da garotinha.

Nicole sempre adorara crianças e sua esperança secreta, que nunca compartilhara com ninguém, era ter uma família enorme. Na adolescência, fora uma excelente babá. Achava que essa era uma das razões de sua música agradar tanto as crianças. Ela gostava delas de verdade, não só as aturava.

A mulher estava quase alcançando a garotinha quando Marcus a interrompeu.

— Quer que eu a segure um pouquinho? — ele ofereceu à mãe.

Depois de olhar Marcus de cima a baixo, com seu terno profissional e seu ar digno de confiança, e considerando que o garoto e a garota não paravam de reclamar sobre como seria terrível não tirarem uma foto com Nick, a mulher concordou:

— Ok, se você não se importar, vai levar só um ou dois minutos. Tenho certeza de que a câmera está no fundo da minha bolsa.

Marcus pegou a garotinha birrenta, que parou de chorar assim que ele a levantou até a altura do rosto dele.

— Veja só, e não é que você é uma coisinha linda?

A mãe sorriu de alegria.

— Eu sei, ela é linda, né?

Ele assentiu, sem tirar os olhos do sorriso banguela do bebê.

— Qual é o seu nome? — perguntou à criancinha como se ela pudesse falar, e ela respondeu alegremente com uma cascata borbulhante de bolinhas de cuspe.

Sem perder um minuto, ele usou o babador para limpar o cuspe... e Nicole começou a se apaixonar.

Não tinha certeza de quanto tempo ficou lá, boquiaberta ao ver como Marcus tinha jeito com bebês; ele agora estava mexendo-a de um lado para o outro, como se ela fosse um miniavião de fraldas, inclusive fazendo os barulhos para combinar com a brincadeira. Até que a mãe anunciou:

— Achei a câmera.

Nicole voltou a prestar atenção, como se houvesse saído de uma névoa profunda. As crianças agora estavam em pé, uma de cada lado dela, sorrindo para a câmera.

Ai, meu Deus. Não era possível que ela já estivesse apaixonada por ele. Mal o conhecia, não sabia o que ele fazia para viver, nem o que fazia para se divertir.

Mas, uma vozinha contrária soava em sua cabeça, *você já não sabe tudo o que realmente importa? Que ele ama a família e tem jeito com crianças, que tem sido mais bondoso e mais gentil que qualquer outra pessoa foi até agora? Sem contar o jeito como você pega fogo quando ele a beija...*

— Olha o passarinho!

Nicole sorriu para a câmera, o mesmo sorriso que já dera milhares de vezes durante os últimos anos. Mas, quando a mulher virou a tela da câmera para o outro lado e disse:

— Veja como vocês estão lindos! — Ela ficou chocada ao perceber que o sorriso não era, nem de longe, o mesmo de sempre.

Em vez de Nick, a pop star, ter sorrido para a câmera, era Nicole,

a mulher que acabara de ser pega de surpresa por uma emoção inesperada, parecendo profundamente desnorteada pelo que tomara conta dela.

Querendo desesperadamente voltar ao normal, ela mudou o foco para as crianças, perguntando seus nomes, em qual série estavam, se tinham uma música favorita. Também perguntou à mãe se poderia pegar o e-mail deles para enviar ingressos especiais para o show que faria no sábado à noite.

Por fim, Marcus pôs a bebê de volta no carrinho e apertou o cinto de segurança com gentileza. A família foi embora, dizendo adeus. Ela acenou de volta para eles, feliz pela movimentação esconder o tremor de suas mãos.

Marcus chamou o elevador de novo e entrou logo atrás dela, a mão dele na cintura, do mesmo jeito que havia feito na noite anterior, quando haviam saído da boate. Ela foi imediatamente tomada pelo calor dele, juntamente com a sensação de segurança que sentira no momento em que o conhecera.

Ela apertou o botão para subir à cobertura e, quando as portas do elevador se fecharam, ele a elogiou:

— Você foi fantástica com aquelas crianças.

— Eu adoro crianças — admitiu para ele. — Elas são tão honestas com seus sentimentos.

— Honestidade é uma coisa importante para você, não é?

Ela pensou em Kenny, em como ele traíra a confiança dela.

— Honestidade é tudo para mim.

Dando-se conta do quanto a conversa havia ficado séria e que, se não tomasse cuidado, estaria chorando no ombro dele pela dor de quando mentiram para ela, Nicole sorriu e disse:

— Nunca vi um bebê gostar de alguém tão rápido.

Ele não ignorou o elogio dela, mas simplesmente comentou:

— Já passei muito tempo com bebês na minha vida.

Na noite passada, no táxi, ela quisera perguntar sobre a família dele, mas não se permitira fazê-lo, pois tivera medo de estabelecer um vínculo mais profundo do que só sexo com ele. Bem, ela já estava com a água até o pescoço, não estava? Que mal faria se afundar ainda mais?

— A Lori adora você. Imagino que seus outros irmãos e irmãs sintam o mesmo, não?

— Nós cuidamos uns dos outros.

— Parece mais que você é quem está sempre cuidando deles — ela comentou.

— Você tem irmãos?

— Dois irmãos mais novos.

— Deixe-me adivinhar — ele disse —, os dois dirigem carros novinhos em folha, cortesia da irmã mais velha.

Ela riu da maneira como ele virou a situação do avesso e mostrou-lhe como também fazia a mesma coisa com a própria família.

— Sei que não deveria, mas não consegui me controlar.

— Quando a Lori e a Sophia fizeram 16 anos, dei uma festa de arromba em um safári perto de Napa.

— Completo, com elefantes e zebras?

— Jacarés e pítons também.

— Não é à toa que a Lori ama tanto você... — Nicole brincou, mas então, antes que pudesse parar, acrescentou: — ... apesar de que tenho certeza de que não precisaria gastar nem um tostão furado para ela amar você do mesmo jeito.

O sorriso dele foi sumindo lentamente diante do comentário dela, que incluía usos múltiplos da palavra *amor*.

Uau. Que jeito legal de jogar!

Só que não.

Graças a Deus, naquele exato momento, a porta para a cobertura se abriu e ela pôde esconder as bochechas queimando enquanto caminhavam pela metade do andar que lhe pertencia. Tirou a chave da bolsa e abriu a porta.

Ficou satisfeita quando Marcus não fez grande alarde sobre a elegância do quarto. Sempre se sentia desconfortável quando as pessoas reparavam nisso.

Haviam levado 30 minutos para ir do estúdio de dança até ali, mas pareciam ter sido horas. Ela se sentiu estranha e insegura novamente.

— Estou toda suada do ensaio. Acho melhor ir tomar uma ducha.

Marcus fechou e, em seguida, trancou a porta atrás dela. Quando olhou para Nicole, os olhos dele já não tinham nada do sorriso de antes, de quando estavam falando sobre suas famílias.

Agora, só havia o fogo... e o desejo de tirar o fôlego.

— Venha aqui, Nicole.

Ela não mexeu um só músculo. Não conseguia.

— Mas acho que...

— Sem banho. Não agora. Não sem mim.

Ele parou, deixou as palavras serem registradas, a promessa contida nelas, a visão de tomarem banho juntos, de estar toda ensaboada e molhada com ele, fazendo coisas malucas com suas entranhas.

Ela sabia que ele era capaz de ler a reação em seu rosto, mas Marcus não disse mais nada; simplesmente ficou ali parado, ao lado da porta, e esperou que ela caminhasse até ele.

Conseguia fazer isso; claro que sim. Era só colocar um pé na frente do outro e, contanto que o coração não explodisse por bater tão forte, ela estaria bem.

Com as pernas tão bambas quanto da primeira vez que ficara em pé em frente a milhares de pessoas, ela começou a caminhar lentamente na direção de Marcus.

CAPÍTULO NOVE

Marcus estava a um passo de agarrar Nicole, jogá-la na cama e possuí-la. Para ele, era muito difícil se controlar, observá-la atravessar lentamente o chão acarpetado em direção a ele.

Ela estava nervosa, do mesmo jeito que estivera na noite passada, quando entraram no táxi. Seu *sex appeal* era tanto — o ensaio para o clipe confirmara que ela obviamente sabia como usar sua sensualidade para levar seu público à loucura — que o nervosismo dela não fazia sentido para Marcus. Mas, segundos depois, ele desistiu totalmente de querer que as coisas fizessem algum sentido.

Arrancar as roupas dela era tudo o que lhe interessava.

Ele a puxou, agarrou o moletom e inclinou-se para ter aqueles lábios pecaminosamente sedutores sob os dele. Ela gemeu ao tocar os lábios dele, que lhe arrancou o moletom, afastando-se um pouco para puxá-lo por cima da cabeça dela.

Nada além de uma fina camada de lycra e curvas esperavam por ele.

— Meu Deus, você é linda!

Ela piscou para ele, seus olhos azuis mais suaves, mais cheios de desejo que de preocupação.

— Obrigada.

Quantas vezes ela já não havia ouvido o quanto era linda? Se não de seus fãs, pelo menos dos homens com quem dormira. Mesmo assim, a maneira como ela disse "obrigada" foi tão autêntica; tão honesta. Como se ele fosse o primeiro amante a ter dito que ela era de tirar o fôlego.

Cada vez mais, ela o surpreendia. Primeiro, quando dormira a noite toda no colo dele como uma gatinha manhosa. Depois, naquela manhã, quando entrara na cozinha de Smith, seu rosto lindo sem maquiagem, parecendo jovem, revigorada e absurdamente inocente, apesar do vestido de couro que ainda usava. E, apenas alguns minutos antes, quando havia se mostrado verdadeiramente interessada naquelas crianças lá embaixo, que queriam seu autógrafo.

A menor surpresa de todas, que ele percebera naquele momento, era

o fato de ela ser uma famosa pop star.

Ele já esperava desejá-la, mas não tanto assim. Depois do rompimento com Jill, não esperava sentir nada por uma mulher além de desejo.

A emoção começou a aumentar e a tomar conta do pouco controle que ainda lhe restava, ameaçando levar tudo por água abaixo. Marcus tinha que fazer alguma coisa, e rápido, para retomar o controle da noite e colocar as coisas de volta nos trilhos.

Nos trilhos *dele*.

Ele sempre fora dominador na cama; gostava de controlar o prazer da mulher tanto quanto o seu próprio. Mas Jill não gostava de deixá-lo no controle, e, durante os dois anos que estiveram juntos, a vida sexual dele havia sido completamente insossa.

Ele estava pronto para novos sabores. E, a julgar pelo fogo que houvera entre eles desde o primeiro momento, tinha a impressão de que Nicole também estava querendo algo parecido.

— Por quase 24 horas fiquei imaginando como você seria sem roupa. Quis sentir a maciez e o contorno dos seus seios nas minhas mãos, o quanto você vai ficar molhada e escorregadia quando eu enfiar meus dedos no meio das suas pernas.

Ela ficou toda arrepiada no momento em que ele pegou seu rosto maravilhoso entre as mãos e a beijou, devagar e profundamente, sem pressa, para descobrir os contornos de seus doces lábios. Ela tremeu quando Marcus mergulhou a língua entre os lábios, então gemeu baixinho quando ele mordiscou a boca e a chupou.

Sem avisar, ele tirou as mãos de seu rosto, colocou-as embaixo de sua fina camiseta e tirou-a por cima da cabeça. Ela quis cobrir os seios, mas ele segurou-lhe as mãos.

— Não.

Os olhos dela estavam dilatados e a respiração, ofegante, à medida que ele escorregava os dedos pelos dedos dela.

— Não quero que se esconda de mim.

Entre os seios fartos e macios, onde entrelaçavam as mãos, podia sentir a respiração de Nicole e seu coração disparado.

— Dê um passo para trás para eu olhar para você.

Ele via o quanto ela estava insegura, mas isso só o deixava ainda mais determinado a superar esse momento. Podia sentir o cheiro da excitação dela; sabia o quanto ela o queria. Precisaria saber como ela reagiria à sexualidade natural dele, ao controle inato que suprimira por tempo demais.

— Vamos lá, minha gatinha.

No momento em que deu um passo para trás, os olhos dela se abriram, cheios de desejo, surpresa diante da ternura dele.

Sem querer que nada encobrisse aqueles seios, Marcus soltou as mãos dela; as mãos, a boca e o pau dele teriam que esperar uma oportunidade.

Nicole imediatamente tentou se cobrir. Ele não disse nada, simplesmente balançou a cabeça, uma vez.

Os olhos dela se arregalaram de novo e, por um momento, ele ficou em dúvida se ela obedeceria ao seu comando silencioso. Então, ela respirou fundo e ergueu o queixo; deixou as mãos descerem um pouco, revelando a pele macia e suave, fazendo-o prender a respiração.

No momento de revelar os mamilos, ela parou, enrubescendo por completo.

Até onde conseguia se lembrar das imagens dela na TV e nas fotos nas capas de revista, sabia que ela usava quase nada no palco. Mesmo assim, se não soubesse disso, poderia jurar que ela nunca havia mostrado os seios nus a outro homem. A timidez dela chegava a esse ponto.

— Deixe-me ver como você é linda, Nicole. — Ele não entendia por que era tão difícil para ela, mas, já que sua dificuldade era óbvia, ele

instintivamente baixou o tom de voz. Foi gentil, tranquilizador, enquanto pedia a ela: — Mostre para mim o quanto quer isso. O quanto você me quer.

O silêncio pairou sobre eles até que, finalmente, ela tirou as mãos do peito... e, tomado pela luxúria, ele quase caiu de joelhos sobre o chão acarpetado da cobertura.

Os mamilos dela, entumecidos e rosados, deixaram Marcus com água na boca ao se imaginar lambendo-os para ver se seriam tão doces quanto pareciam. A pele de todo o corpo dela era levemente bronzeada, mas sem sinal das marquinhas do biquíni nos ombros ou nos seios... de longe, os seios mais lindos sobre os quais ele já tivera a sorte de colocar os olhos.

Desde o primeiro beijo no estúdio, seu pau já havia ficado duro e, desde então, permanecera assim. Mas, agora, estava ainda mais duro, ereto como nunca, só por causa de alguns beijos quentes e da linda visão dos seios nus de Nicole.

Fartos e empinados em seu corpo pequeno, eles tremiam levemente.

A esta altura, ele estava a ponto de pular em cima dela, mas sabia que precisava se controlar pelo menos até conseguir perguntar:

— Não está com medo de mim, está?

Ela balançou a cabeça.

— Não. — Mas a maneira como baixou os olhos e a cabeça sugeriu a ele uma resposta completamente diferente.

— Você e eu — ele disse, chegando mais perto para tocar-lhe o queixo com a ponta dos dedos, para fazê-la olhar para ele — nunca vamos mentir um para o outro.

Mais uma vez, não era uma pergunta. Era uma simples verdade que precisava acontecer.

Quando ela assentiu em concordância, ele perguntou de novo:

— Está com medo do que está acontecendo entre nós esta noite?

— Não estou com medo de você. Eu só... — Ela fez um movimento para cobrir os seios com as mãos e, quando ele a segurou para impedi-la, ela tremeu ainda mais.

— Diga para mim por que está com medo, minha gatinha.

Mas, em vez de responder, ela perguntou:

— Por que fica me chamando assim?

Apesar de desejá-la desesperadamente e do fato de estar controlando seu instinto de homem das cavernas, Marcus pegou-se sorrindo.

— Porque foi assim que você dormiu no meu colo. Como uma gatinha manhosa.

Os olhos dela se suavizaram e o tremor parou.

— Quero me esfregar inteirinha em você, como uma gatinha — ela sussurrou timidamente.

O pau dele saltou atrás do zíper enquanto ela observava sua reação... e esperava que ele dissesse se era isso mesmo que queria que ela fizesse.

Puta merda, sim, ele queria, queria sentir aquelas curvas macias e suaves se esfregando no corpo dele. Mas, se ela fizesse isso, já era. E ela ainda não havia lhe contado por que estava tremendo.

— Quero isso também — ele disse a ela —, mas antes quero que me diga o que há de errado.

— Eu... — Ela parou e respirou profundamente antes de confessar: — Já faz um tempo que não faço isso.

Ah, isso explicava por que ela estava tão nervosa.

— Vamos devagar — ele prometeu com uma voz rouca. — Devagar e com calma.

— Ok — ela concordou, e a confiança nos olhos dela quase acabou com ele. — Mas e se eu quiser rápido e com força?

Em um instante, os fios delicados que estavam segurando seu autocontrole se arrebentaram e ele a tomou nos braços.

Uma cama. Tudo de que precisava era levá-la para a cama e então poderia parar para pensar e planejar o que faria com ela... todas as maneiras como a faria gritar de prazer.

Ele estava quase lá quando ela se mexeu, apertando os seios contra o peito dele e encostando o rosto levemente sobre o rosto de Marcus. Ele podia sentir sua respiração morna e os lábios percorrendo o tecido que cobria os ombros dele. Mas foi a lambida macia da língua dela contra sua pele, seguida por uma mordidinha, que o deixou louco.

A poucos metros da cama, ele abaixou a cabeça e abocanhou um dos seios dela. Ah, puta que pariu, ela era tão doce, reagia tão rápido, os bicos dos seios ficando ainda mais duros ao toque da língua dele. Quando ela gemeu, Marcus sentiu-se perdendo a sanidade e teve que virar-lhe o corpo para conseguir chupar o outro seio também.

Ciente de nunca ter experimentado algo tão erótico quanto a maneira como o corpo dela respondia ao dele, Marcus obrigou-se a caminhar aqueles poucos metros até a cama, abaixando-se juntamente com ela, para que ficasse sentado na beirada do colchão. Os dedos dela estavam nos cabelos dele agora, o pescoço arqueado para trás para facilitar o acesso a seus seios. A bunda dela pressionava seu pau e ele achou que, se ela continuasse ali, contorcendo-se em seu colo, ele explodiria muito antes de conseguir penetrá-la.

Ele tirou a boca dos seios dela apenas para mudar de posição, assim ela poderia ficar em pé no meio das coxas entreabertas dele. As pernas dela estavam moles e ela se apoiou nos quadris, colocando seu corpo pequeno e curvilíneo no lugar exato para que ele pudesse tomar-lhe os mamilos novamente na boca, um depois do outro. As mãos dela continuavam nos cabelos dele, e os barulhinhos desesperados que emitia enquanto a lambia, chupava e beliscava sua pele sensível o fizeram querer que a noite fosse mais longa que somente algumas horas.

CAPÍTULO DEZ

Nicole nunca se sentira tão descontrolada. Seu cérebro, seu corpo, nada mais estava conectado. Entre os beijos de Marcus e os toques dele sobre sua pele... ela perdeu controle de tudo que a mantinha com os pés no chão quando, em um movimento sutil, ele arrancou-lhe o short e a calcinha fio-dental, deixando-a completamente nua.

Enquanto ele buscava os lábios dela para outro beijo ardente, as mãos dela foram automaticamente para a calça e começaram a desabotoar e a abrir o zíper, para que ela também pudesse deixá-lo nu.

Uma das mãos dele cobria as duas mãos dela.

— Ainda não. Antes quero ver você gozar para mim.

Ainda segurando-lhe a mão, Nicole ficou sem fôlego quando ele escorregou os dedos de ambos para o meio das pernas dela.

— Diga o que está sentindo — ele ordenou em voz baixa.

— Está gostoso — ela mal conseguia respirar —, muito gostoso.

As coxas de Nicole tremiam, e, com a mão livre, ele a manteve em pé enquanto os dois esfregavam os dedos sobre o clitóris dela.

— *Marcus.*

Nicole dizia o nome dele em meio a gemidos, enquanto espasmos de prazer lhe percorriam o corpo. Por um segundo, os olhos dele se abriram, cheios de tesão, e então se inclinou para a frente para abocanhar-lhe novamente os seios. Ela gemia de prazer, baixinho, enquanto ele pressionava os dedos cada vez com mais força, em movimentos circulares. Ela estava quase lá, tão perto, prendeu a respiração quando...

— Agora só a minha mão.

Mal pôde registrar as palavras dele e ele havia tirado a mão dela e enfiado um de seus grandes dedos dentro dela. Pensou ter ouvido algo sobre o quanto ela era pequena e apertada, mas foi algo muito a distância. Não conseguia fazer mais nada além de agarrar-se aos ombros rígidos dele e colocar toda a sua energia em cavalgar sobre a mão dele.

— Goze pra mim, minha gatinha. Quero ver. Quero sentir seus músculos me apertarem quando você explodir de prazer.

Ah, meu Deus, ela queria, e aquelas palavras maliciosas a fizeram apertar-se sobre ele em um miniorgasmo. Estava tão perto do clímax, mas, quanto mais perto, mais as pernas dela tremiam.

Ela queria relaxar e gozar, parar de ser tímida, entregar-se totalmente àquelas sensações maravilhosas que Marcus a fazia sentir, mas um pensamento a interrompia.

Se ela embarcasse nesse sexo selvagem com Marcus, isso significaria que era a vagabunda que Kenny havia pintado?

Como se houvesse sentido sua hesitação, Marcus tirou a mão do meio das pernas dela. Ela abriu a boca para protestar, mas, antes que pudesse fazer isso, ele ergueu-a do chão, dentando-se na cama e colocando-a de joelhos, montada nele.

As mãos dele voltaram a acariciá-la e, então, ela percebeu que ele cumpriria o prometido.

Devagar e com calma.

E foi então que se deu conta de que não se importava com o que o mundo pensasse dela. Quando estava na cama com Marcus, tudo o que contava era o que ela sentia. Tudo o que importava era aquele prazer intenso que ele já havia lhe proporcionado.

Abaixando-se para beijá-lo, a língua dela tocou a dele ardentemente, a gana dela tornando o beijo absurdamente intenso, quase à beira da violência.

Em algum momento durante o beijo, percebeu que ele colocara a mão novamente no meio de suas pernas. Ela soltou um gemido baixinho de prazer quando, mais uma vez, ele enfiou um dedo grosso dentro dela. Ficou satisfeita ao descobrir que esta posição facilitava mais seu vaivém sobre a mão dele.

— Mais — ela implorava enquanto subia e descia no dedo dele.

— Você é tão pequena — ele disse, mas ela podia perceber, pelo tom de suas palavras, que ele queria dar mais tanto quanto ela queria receber.

Ela ergueu a cabeça para poder olhar nos olhos dele.

— Por favor, Marcus. — Sentiu a volúpia crescendo enquanto ia e vinha sobre o dedo dele, tentando enfiá-lo ainda mais profundamente em si.

Observou-o brigar consigo mesmo, um músculo saltando de seu maxilar bem delineado, e, finalmente, ordenar:

— Fique quieta.

Não poder continuar subindo e descendo sobre a mão dele quase a matou, e quase perdeu o fôlego quando sentiu a pressão do que tinha que ser mais do que um só dedo abrindo-a, alargando seus tecidos sensíveis.

— Nicole?

Com medo de ele parar, ela inclinou-se para a frente e beijou-lhe os lábios com força.

— Por favor, não pare.

Porém, no momento em que ele tentava penetrar ainda mais fundo dentro dela, os músculos do sexo dela se apertaram.

Ele sussurrou:

— Me beije. — Um suspiro antes de enroscar os dedos da outra mão no cabelo dela e lhe possuir os lábios. Entre um beijo e outro, ele disse:

— Assim mesmo, minha gatinha, cavalgue nos meus dedos como se estivesse cavalgando no meu pau.

Centenas de sensações maravilhosas vieram à tona naquele momento, enquanto um enorme jorro molhado escorria pelo caminho por onde ele enfiava os dedos. E quando, com a mão livre, Marcus encobriu-lhe os seios para brincar com os mamilos ao mesmo tempo que a ponta do dedão encontrava a parte dura de seu clitóris e a pressionava, ela sentiu que estava prestes a gozar. Um prazer tão avassalador quanto uma onda gigante. Tão grande que achou que não fosse aguentar.

Não, tinha *certeza* que não aguentaria.

Em meio ao pânico, ela interrompeu o beijo e estava colocando as mãos sobre o peito dele para tentar se desvencilhar quando a voz dele surgiu:

— Nicole, olhe para mim. Estou bem aqui com você.

De alguma forma, conseguiu concentrar-se nele enquanto espasmos de prazer invadiam todo o seu corpo.

E, quando ele disse: "Goze para mim", o jeito como ele a olhava, como se nunca houvesse visto algo tão lindo, tão encantador e tão mágico em toda a sua vida, foi o sinal para que todo o seu corpo se deixasse levar.

Nunca na vida Marcus estivera com uma mulher tão feita para o prazer, que gozasse com tanto abandono, que cavalgasse em seus dedos como se nunca houvesse sentido uma coisa tão boa antes... e cujo orgasmo era praticamente interminável.

Marcus não queria que isso acabasse nunca! Não queria esquecer o jeito como ela parou de beijá-lo para que seu corpo escorregadio de suor pudesse montar e arquejar sobre o dele enquanto continuava sua cavalgada ao gozo; não queria esquecer os gritinhos desesperados que ela emitia ao beijá-lo, os suspiros que se transformavam em gemidos. Não queria esquecer o som maravilhoso dela implorando para que ele a tocasse mais, a beijasse mais e a levasse além de todos os limites.

No entanto, ele já sabia que nunca se esqueceria desses sons, da incrível visão da garota mais linda do mundo entregando-se ao prazer nos braços dele.

Finalmente, ela se aquietou em cima dele, os músculos, antes tensos, agora relaxados, soltos, a cabeça recostada no peito dele. Estava ofegante e ele percebia que ela respirava com esforço, enquanto continuava deitada por cima dele. Embora ainda estivesse totalmente vestido — e com o pau duro feito pedra — ele adorava a maneira como ela se enrolava e se aconchegava nele; mais uma vez, a mesma gatinha manhosa e macia da primeira noite deles juntos.

Mesmo assim, teria que deixá-la se recuperar daquele orgasmo em outro momento, pois ele não estava nem perto de ter terminado de adorá-la. Ela teria o resto da vida para se recuperar desta noite. Ambos teriam.

A partir de agora até o sol raiar, ela pertencia a ele.

Sem avisá-la, ele a virou, deitando-a de costas, e ergueu-se sobre aquele corpo nu maravilhoso.

Ela piscou para ele, o olhar momentaneamente encoberto. Depois, piscou e sorriu antes de dizer:

— Você está com roupas demais.

As mãos dela foram do pescoço dele para os botões da camisa, tentando desabotoá-los. O toque macio da ponta dos dedos dela tateando-lhe o peito fez o coração de Marcus bater ainda mais rápido. Nicole lambia os lábios com a ponta da língua enquanto concentrava-se em tirar a roupa dele, que não conseguiu se controlar e inclinou-se para lambê-los também.

Assim que ele tocou-lhe a língua, ela abriu a boca e a mera vontade de sentir o gosto dela transformou-se em outro beijo avassalador.

Ele poderia beijá-la assim para sempre, se o som do tecido rasgando não o houvesse surpreendido e feito com que parasse. Ela estava arrancando sua camisa e, nos pontos onde não pudera desabotoá-la, o algodão desfiara.

Quando viu, ela estava jogando no chão a camisa rasgada e passando a mão sobre seu abdômen. Que sensação boa ter as mãos dela sobre a pele nua. Tão gostoso. No entanto, deveria saber que as coisas ficariam ainda melhores, pois, um segundo depois, sua gatinha selvagem inclinou-se para lhe mordiscar o peito. Os músculos de Marcus se retorciam sob os dentes dela para, em seguida, serem acariciados por suas lambidas.

— Nunca quis alguém tanto assim — ela sussurrou contra o peito dele enquanto lhe beijava a pele, incansável e obscenamente, as mãos movendo-se mais para baixo até se encherem com o membro coberto pelo tecido.

Ele segurou a respiração entredentes quando ela encheu a mão, a princípio, aos poucos, depois ficando mais confiante à medida que o sentia endurecendo cada vez mais dentro de suas garras mornas. Rangendo os dentes diante do intenso prazer das carícias dela, ele lembrou-lhe:

— Devagar e com calma, minha gatinha, para eu não machucar você.

O olhar dela alcançou os dele rapidamente:

— Você nunca me machucaria.

A confiança que depositava nele atingiu-lhe diretamente o peito, um lugar onde pensara estar fechado. Era o mesmo lugar que reagira quando ela dormira no colo dele, quando aparecera tímida e revigorada na cozinha, quando rira com o menino e a menina que adoravam sua música.

Ele não entendia como fazia aquilo, como ela conseguia penetrar em sua pele e em seus ossos até atingir um coração que sabia que era melhor não se deixar levar. Deveria estar olhando para ela como Nick, a pop star. Deveria lembrar-se de que, depois desta noite, ela seguiria a vida e se esqueceria dele, em meio a seu mundo de luzes e fãs.

Ela não precisava dele. Pelo menos, não depois desta noite.

Marcus nunca se perdoaria se terminasse a noite ainda ardendo de desejo.

Mais que nervoso por causa do final que se mostrava mais inevitável a cada minuto, ele se afastou da cama abruptamente, para tirar a calça. Precisava de alguns segundos sem tocá-la para colocar a cabeça no lugar e voltar a agir como deveria.

Os olhos dela se arregalaram.

— Você é lindo, Marcus.

Ele sabia que tinha um bom físico e muitas mulheres já o haviam visto assim antes, mas nunca o afetaram dessa forma. Talvez porque ninguém houvesse olhado para ele com tanta admiração. Ou com tanta confiança.

Nicole não conseguia fazer nada além de olhar fixamente para ele.

Seu corpo, seus músculos — sua ereção incrivelmente maravilhosa — podiam zombar de qualquer escultura que Rodin jamais esculpira.

E mesmo já sabendo que ele era grande, sem roupa era enorme, os músculos delineados como os de um trabalhador braçal.

Em algum momento, ela percebeu que ele havia colocado uma camisinha sobre a ereção e conversava com ela, dizendo:

Ela estava adorando seguir as ordens dele esta noite e não queria que ele agisse de acordo com algum senso de honra por ela "não estar pronta" para ficar com um homem como ele. Nicole não estava gostando da maneira como ele ainda estava de pé ao lado da cama, com os punhos fechados, como se fazendo um esforço hercúleo para não tocá-la de novo.

Ela não esperou nem mais um segundo — não podia arriscar que ele mudasse de ideia — antes de sair da cama e pular nos braços de Marcus, seus braços ao redor do pescoço dele, suas pernas enlaçando-lhe a cintura. O membro dele acomodou-se entre as pernas dela e, em meio a suspiros, Marcus murmurava o nome dela. Soltando um pouquinho os braços, ela deixou que a gravidade o ajudasse a mergulhar dentro dela. Estava tão molhada que, apesar de ele estar segurando-a, seu pau escorregou para dentro dela alguns centímetros.

Infelizmente, ele sentiu o momento exato em que o corpo dela reagiu àquela invasão maravilhosa.

— Não, Nicole, assim não. Ainda não.

Mas o corpo dele dava sinais exatamente opostos às suas palavras, com as mãos agarrando-lhe a bunda e os quadris começando a se mover devagar, para conseguir penetrar mais dentro dela. Nicole arfou e jogou a cabeça para trás enquanto travava os tornozelos atrás do quadril dele, tentando trazê-lo cada vez mais perto, mais fundo.

— Estou machucando você? — A voz rouca e baixa dele soou no pescoço dela, os dentes dele raspando na jugular, antes que ela pudesse responder.

Ela queria dizer que não, que não a estava machucando, porque era isso que ele gostaria de ouvir. Mas havia prometido dizer a verdade esta noite. Ergueu a cabeça e olhou nos olhos dele.

— Um pouquinho. Mas é uma dor gostosa. Quero mais dela; quero mais de você.

Antes que conseguisse dizer a ela que precisavam parar, ela pressionou os lábios contra os dele e o beijou, a língua quente na dele, a dor transformada em um prazer alucinante.

Em seguida, estava deitada embaixo dele novamente, o suor do peito dele escorrendo sobre o dela, enquanto tentava manter-se parado em cima de Nicole. As bocas se separaram e ela olhou para ele, maravilhando-se novamente diante daquela beleza, o peito bronzeado e musculoso absurdamente lindo, os braços fortes, o quadril estreito.

— Mais devagar — ele pediu suavemente. — Precisamos ir mais devagar.

Talvez essa fosse uma boa maneira para o corpo dela se acostumar ao tamanho do pau dele, mas ela queria exatamente o oposto, estava mais que pronta para algo mais louco e forte. Queria saber como seria ver Marcus perder o controle com ela... e saber que fora ela quem provocara aquilo. Queria fazê-lo esquecer-se de tudo; tudo, exceto de quanto a queria, de quanto a desejava e de quanto tinha que possuí-la.

Pois era exatamente assim que se sentia com relação a ele. E não queria ser a única a experimentar essa necessidade, esse desejo.

— Não quero ir devagar — disse a ele. — Só quero você. Inteirinho.

Com força, Nicole colocou os lábios sobre os dele, forçando-o a entregar-se ainda mais, e não conseguiu controlar um suspiro profundo diante da fantástica sensação de tê-lo dentro dela, inteiro. Ou diante do fato de que, cada vez que Marcus a penetrava um pouco mais fundo, sentia que não estava possuindo só seu corpo, mas também um pedaço de sua alma, que não sabia estar disponível para ninguém antes disso.

— Agora não tem volta.

— Não quero voltar — ela murmurou. Como poderia voltar, quando Marcus era seu sonho que se tornara realidade?

Mas isso não queria dizer que não estivesse com medo por saber que ele a possuiria totalmente. Uma posse que não seria só física, apesar das regras que haviam estabelecido para esta noite juntos.

Ela o alcançou e colocou os braços em volta do pescoço dele.

— Gosto de você, Marcus. Gosto muito de você.

Ele abaixou a cabeça e beijou-a delicadamente antes de dizer:

— Também gosto de você.

E, então, voltou para cima dela, as mãos de Nicole escorregando do pescoço para o peito dele, que equilibrava o peso nos joelhos e agarrava o quadril dela, para se posicionar entre suas coxas. Ela suspirou profundamente quando ele saiu e meteu dentro dela de novo, em uma estocada macia.

Os olhos dele estavam perigosamente escuros.

— Gosta disso também, não é, minha gatinha?

— Hummm. — Ela não conseguia responder, não era capaz de fazer os lábios formarem uma palavra para descrever o quanto gostava daquilo; no entanto, seu corpo estava reagindo à altura, indo para a frente e para trás embaixo das longas e duras estocadas dentro dela.

— Assim — ele pediu. — Aperte meu pau bem forte, desse jeito.

Como se tivesse o controle do corpo de Nicole, Marcus sentiu o sexo dela se fechando diante de suas palavras encorajadoras, e ambos gemeram à medida que as sensações surgiam, multiplicavam-se e espalhavam-se até níveis de prazer praticamente impossíveis. Ela sentia outro clímax a caminho, crescendo, tomando conta de célula por célula.

O orgasmo chegou de tal forma que lhe tirou todo o ar dos pulmões.

— Ah, meu Deus, Marcus! Goze comigo. Por favor! Preciso de você aqui.

As palavras desesperadas dela, em um pedido autêntico, funcionaram como mágica, pois, em um instante, todo o controle que ele havia tentado manter desaparecera.

Ele metia nela sem se preocupar em machucá-la, sem pensar se ela aguentaria a força de seu membro.

E, ah, como ela gostava.

Como ela adorava estar no olho do furacão, enquanto ele os girava cada vez mais alto e mais apertado, seu corpo enorme controlando o dela tão bem, tão perfeitamente.

As vozes ecoavam pelo quarto amplo, os elogios sobre como ela era linda e perfeita, juntamente com os gemidos, arfadas e até mesmo gritos de prazer. Mesmo esperando que o orgasmo dela fosse terminar — não podia durar para sempre, podia? —, Marcus continuou indo e vindo, a mão dele no meio das pernas dela, esfregando círculos de prazer.

— Goze mais uma vez pra mim — ele implorou, e ela ficou pensando como ele poderia saber que ainda havia sobrado alguma coisa dentro dela. Outra onda de prazer tomou conta dela, desta vez menos intensa, mas muito boa, e ela teve que puxá-lo para poder beijá-lo.

O beijo dele estava mais tranquilo agora, mais calmo depois de toda a paixão e do tesão intenso, e ela gostou do jeito como a língua dele tocou a dela.

Um pouco depois, ele mudou-os de posição, ficando deitado de costas enquanto ela se espalhava metade sobre a cama e metade sobre ele. Em algum momento, ela o sentiu se mexendo para tirar a camisinha, mas, felizmente, buscou Nicole momentos depois, puxando-a de volta para ele, a cabeça dela sobre o peito dele, com o resto de seu corpo enrolado ao redor de seus músculos rígidos.

Nicole não conseguia lembrar quando foi a última vez que se sentira tão cansada... ou tão bem. Mesmo assim, se dormisse agora, sabendo que estaria tudo terminado pela manhã, seus sonhos não estariam realizados. Ela ficaria muito triste, apesar da noite maravilhosa que tivera com Marcus.

E, na verdade, se ela estivesse um pouco mais acordada, mais lúcida, nunca teria perguntado:

— Que tal duas noites em vez de uma só?

A maneira perfeita com eles se encaixavam e o jeito como ele a puxou para mais perto e passou os dedos pelos cabelos dela serviram como resposta. Sem precisar mais ficar acordada, Nicole relaxou até pegar no sono.

Puta que pariu!

Marcus olhava fixamente para o teto, as luzes cintilantes do centro de São Francisco brilhando através das cortinas transparentes nas janelas.

Ele sempre gostara de sexo, mas o que acabara de acontecer com Nicole esta noite... fora muito além.

A cabeça dele estava nas nuvens; o corpo, também.

E, agora, ela queria outra noite.

Claro que ele também queria. Como poderia não querer uma reprise do sexo mais espetacular de sua vida, com aquela que certamente era a mulher mais linda e sensível com quem já fizera sexo?

Mas aí é que estava o problema.

Deveria estar fodendo.

Deveria estar trepando sem culpa.

Deveria estar sendo nada além de prazer, nada além de um orgasmo depois do outro.

Nicole se mexeu ao lado dele, suas curvas macias deixando-o com tesão quando deveria ter chegado no ponto de não ter mais volta, pelo menos pelos próximos 30 minutos.

Talvez se ele não tivesse 36 anos; se não houvesse sido traído pela mulher que imaginara que fosse casar-se com ele; se não houvesse feito parte de algo tão extraordinário que fazia sua virilha latejar sem parar... talvez, então, pudesse ter dito a si próprio a mentira na qual queria acreditar.

Mas sabia que era melhor nem pensar nisso.

Pois a verdade inegável era que a noite que havia passado com Nicole fora muito mais do que ele jamais sonhara.

Ele gostava dela. Muito mais do que queria gostar. De alguma forma, todas as visões sobre ela com aquelas crianças no elevador, a lembrança de como ela dormira em seu colo e, então, como estava ligeiramente nervosa na cozinha de seu irmão, combinada à deusa do sexo que havia sido na cama durante a noite toda, faziam Nicole parecer a versão da mulher perfeita de Marcus.

Se só uma noite havia trazido Marcus até aqui, até onde uma segunda noite o levaria?

CAPÍTULO ONZE

Nicole estava sonhando o mais maravilhoso dos sonhos. Estava em uma cama deliciosamente aconchegante, enroscada em uma parede de músculos mornos e rígidos. Com todo esse aconchego à sua volta, sentia-se tão segura; segura o bastante para soltar toda a sua sensualidade inata enquanto uma grande mão masculina lhe roçava os seios, passando pela barriga até o V entre as pernas. Foi puro instinto arquear-se diante daquele toque alucinante, gemer de prazer, abrir as coxas e deixar-se levar por aqueles dedos certeiros massageando seu clitóris em círculos.

A parte de baixo de sua barriga contorceu-se de prazer uma, duas vezes, e então — *ah, sim, bem aí!* — aqueles dedos se mexeram um pouquinho mais para baixo, escorregando mais para dentro de seu sexo molhado, brincando com ela sem dó antes de enfiar-se dentro de sua carne.

Ela sentiu que ia gozar e, então, veio o orgasmo devastador, que pareceu começar da ponta dos dedos dos pés e terminar na ponta dos dedos das mãos. A respiração saía ofegante e, pelas pálpebras entreabertas, ela quase podia ver a nuvem de sonho indo embora.

Não! Ela não queria acordar, não queria perder o fio da meada de um dos melhores sonhos que já tivera antes de...

Trim! Buzz! Trim! Buzz! Trim!

O barulho alto do celular vibrando sobre a mesa tocou quase ao mesmo tempo que o som estridente do telefone do hotel na cabeceira da cama, a pouco mais de um metro da cabeça de Nicole.

Ah, que merda! Ela pulou na cama, seu coração acelerado, as palavras *merda, merda, merda!* ecoando repetidamente em sua cabeça.

Como pudera ter se esquecido da gravação do clipe?

Estava quase jogando as cobertas no chão e correndo para o banheiro para tomar a ducha mais rápida do mundo quando percebeu que aquela mão grande sobre sua coxa não era um sonho.

À medida que os vestígios finais do sono se dissipavam e tudo voltava rapidamente à sua cabeça, o coração de Nicole começou a bater rápido, e a razão não tinha nada a ver com seu atraso para o trabalho.

Quando alcançou o lençol para cobrir o corpo nu, ainda sentia um latejar entre as pernas, com um prazer quase palpável. Sabia que não tinha cabimento sentir-se assim depois da noite passada. Talvez fosse a confusão por ter acordado tão de repente; talvez fosse porque Marcus estava tão impossivelmente maravilhoso, sua pele bronzeada e escura realçada pelos lençóis brancos como neve.

Ou talvez porque simplesmente não estivesse acostumada a acordar com a mão de um homem no meio de suas coxas.

— Estou muito atrasada para a filmagem. Não acredito que me esqueci de colocar o relógio para despertar...

Ela fazia questão de chegar cedo para tudo, principalmente depois do desastre com Kenny, quando sua reputação como uma festeira barra-pesada começara.

Diante da confusão de palavras, Marcus tirou a mão da coxa dela e Nicole imediatamente sentiu falta da quentura do toque dele. Ele se mexeu na cama para se sentar, mas não estava nem um pouco preocupado com sua nudez.

Marcus era forte e musculoso e, por um momento, Nicole esqueceu-se totalmente do trabalho. Tudo o que conseguia pensar era como seria bom montar nele, entregar-se e tê-lo novamente dentro de seu corpo. Um corpo que estava mais que pronto para fazer amor de novo.

E ela provavelmente teria feito isso se ele não houvesse dito:

— A culpa é minha. Fiz você ficar acordada até muito tarde ontem à noite, mesmo sabendo que precisava acordar cedo hoje.

Deus, por que as manhãs sempre tinham que ser tão complicadas para eles? Os telefones dela tocando só serviam para piorar a situação.

— Me desculpe — ela disse. — Preciso atender, é só um minuto, só para saberem que já estou a caminho.

Ela pegou o telefone que estava mais perto e disse:

— Oi, me desculpe. — As mãos estavam sobre o rosto quando ela explicou. — Dormi demais. Daqui a pouco estou aí. — Desligou. — Era a Lori. Ela parecia bem preocupada com...

As palavras caíram no vazio quando percebeu que Marcus não estava mais na cama, mas do outro lado do quarto, e já havia vestido a calça. Era ela quem já deveria estar vestida e saindo pela porta, mas, pela expressão do rosto dele, Marcus obviamente estava planejando ser mais rápido que ela. A julgar pela rigidez da linguagem corporal e pelo arrependimento estampado em seu rosto, Nicole também podia perceber que ele não queria nada além de se afastar dela, afastar-se da noite incrível que passaram juntos.

Foi exatamente nesse momento que ela lembrou-se do que havia lhe perguntado antes de pegar no sono nos braços dele: *Que tal duas noites em vez de uma só?*

A primeira reação de Nicole foi recuar. Sentia-se como uma idiota patética por ter pedido para passar mais tempo com ele. Arrancou o lençol da cama para se cobrir enquanto ficava em pé para encarar o homem que lhe trouxera mais prazer do que jamais imaginara ser possível.

No entanto, em vez de deixá-lo ir embora antes de colocar-se em uma situação ainda mais embaraçosa, algo lhe veio à cabeça: ela sempre ia atrás de tudo que queria.

Por mais difícil que fosse, por mais assustador e por mais que tivesse potencial para lhe ferir o orgulho, Nicole sabia, lá no fundo, que ela e Marcus tinham alguma coisa especial. Não só o sexo, mas também aqueles doces momentos de conexão.

Não queria deixar tudo acabar; não queria ter tanto prazer e depois ser abandonada desse jeito.

Assim, recusou-se a deixar que os batimentos acelerados de seu coração a impedissem de atravessar o quarto e ir até Marcus. Os olhos dele escureciam enquanto ela se aproximava, os músculos de seu maxilar enrijecendo à medida que o lençol escorregava pelo peito dela.

Ela sabia que era só deixar o lençol cair para conseguir o que queria, que a reação dele às curvas nuas do corpo dela era quase imediata. E a tentação de ser consumida novamente pelas chamas do desejo dele era tão grande que ela quase fez isso.

No entanto, alguma coisa a fez parar — aquela voz dentro de sua cabeça dizendo que queria que a decisão de passar outra noite com ela fosse mais do que só querer o corpo dela sob o dele novamente.

Não, claro que não via nenhuma possibilidade de um futuro com Marcus além dos próximos dias. Ele era totalmente errado para ela: um homem de negócios, que certamente estava no mercado em busca de uma esposa e filhos em um futuro muito próximo. E ela era totalmente errada para ele: uma pop star que estava sempre no avião, de um lugar para outro.

Entretanto, havia um sentimento diferente entre eles. Mesmo na boate, naquela primeira noite, algo especial havia pulsado entre eles, em meio àquela música alta e a tantos estranhos. Para o bem ou para o mal, a artista dentro dela não podia fazer outra coisa além de explorar mais esse sentimento, assim como mergulhava nas emoções de cada música que escrevia.

Quando estava a menos de um metro dele, ela disse:

— Amei a noite passada. — Ela se obrigou a manter os olhos no olhar escuro e intenso dele. — Amei tudo sobre estar com você. — Nicole aproximou-se antes que ele pudesse responder, roçando a ponta dos dedos nos pelos eriçados que cobriam seu maxilar sexy. Só aquele toque suave já a fazia sentir como se a eletricidade corresse em suas veias. — Vou estar na cidade por mais umas duas noites, para a gravação do clipe hoje e um show no sábado à noite.

Ela queria apertar-se contra ele, colocar os lábios sobre os dele. Contudo, precisava terminar o que havia começado, precisava garantir que conseguiria de Marcus mais que beijos roubados.

Lembrando a si mesma que ser objetiva era sempre a melhor opção, fosse nos negócios ou na arte de escrever músicas — e esperando que isso funcionasse da mesma forma agora, com o homem mais lindo que já conhecera em pé à sua frente — ela disse:

— Enquanto estiver aqui, gostaria de passar mais tempo com você, Marcus. Sem vínculos, para nenhum dos dois. Só mais disto aqui.

Ficou na ponta dos pés e pressionou os lábios suavemente contra os dele, sabendo que fizera tudo o que podia, que fora completamente honesta com ele.

Agora, tudo o que podia fazer era esperar que ele concordasse... ou dissesse adeus.

Marcus estava decidido.

Isso tudo que estava fazendo com Nicole — que inferno, não era mais um evento de uma noite só; tecnicamente, já havia se desdobrado em duas noites — não podia chegar a lugar nenhum.

Sim, fisicamente, eles eram perfeitos juntos. Não mentiria a si mesmo dizendo que, em vinte anos, já sentira uma conexão física tão poderosa com qualquer outra mulher. O que acontecera na noite anterior com Nicole ultrapassara qualquer reação que jamais tivera com alguma mulher; ele ainda estava meio zonzo com tudo isso. A verdade era que, se todos os telefones no prédio não houvessem tocado nesta manhã, ele ainda estaria entre as pernas dela com suas mãos, sua boca, seu pau.

Era quase impossível tentar forçar seu cérebro — e seu corpo — para além dessa perfeição física, especialmente quando ela estava ali, parada na frente dele, os raios de sol atravessando as cortinas transparentes, contornando as curvas embaixo do lençol frouxo que enrolava seu corpo nu.

Porém, Marcus sabia que alguns dias a mais com ela seriam perigosos, intensos demais... e ele não queria deixá-la de coração partido; não agora que sabia o quanto ela era meiga e inocente.

Não conseguia entender porque ela olhava para ele com tanta confiança, com tanta esperança no olhar. Talvez porque ele fosse novidade para ela, pois seu tipo distinto e polido era algo diferente de todas as pessoas famosas com quem ela certamente estava acostumada a sair. Mas, dado que as coisas com Jill, que ele pensara querer as mesmas coisas que ele na vida, não haviam dado certo, em sua cabeça não havia dúvidas de que, definitivamente, um relacionamento com uma pop star não funcionaria; ela se cansaria dele e voltaria correndo para sua vida cheia de glamour e ostentação.

Um homem de bom senso sairia dessa situação antes de se queimar. E, até Jill, Marcus sempre se orgulhara de ter bom senso, de tomar as decisões certas, mesmo que não fossem fáceis.

Nicole o observava com cuidado enquanto os pensamentos tilintavam dentro da cabeça dele. Após duas noites e duas manhãs juntos, ele já aprendera a ler as reações dela e podia ver que estava nervosa com relação à resposta dele. Afinal, ontem, quando ela lhe pedira para passarem mais uma noite juntos, ele não se rendera à tentação. Até que a vira de novo e percebera que uma noite de sexo quente com ela seria mesmo inevitável, tão inevitável quanto o fato de ser uma noite só e nada mais.

Os telefones começaram a tocar de novo e Marcus sabia que chegara a hora de dizer adeus.

No entanto, em vez das palavras que planejara dizer, as palavras que deveria dizer para terminar com ela de uma vez por todas, por algum motivo, pegou-se levantando o braço para colocar a mão na cintura dela
e puxá-la mais para perto.

Ela soltou um suspiro lento e reprimido no momento em que ele deslizou a outra mão por dentro de seus cabelos macios para pegar-lhe a nuca. Depois, abaixou a boca até a dela para roubar o beijo que estivera querendo havia horas, desde que ela adormecera tão doce e calmamente e se enroscara nele naquela cama enorme. Ela jogou os braços em volta do pescoço de Marcus e suspirou nos lábios dele, enquanto a pressão macia das bocas se transformava rapidamente em uma dança de línguas, dentes e gemidos incontroláveis.

Sim, o fim era inevitável, Marcus pensava enquanto deleitava-se na paixão de Nicole, em sua sensualidade inata. Mas, puta merda, tudo o que viera antes daquele fim se mostrara tão incrível, tão fantástico. Mesmo não podendo justificar o que estavam fazendo como "só mais uns dias", ele não conseguia dizer não, não conseguia dar as costas para ela.

Ainda não.

Ele tirou os lábios dos dela, mas não a soltou.

— Tenho que voltar a Napa para cuidar de algumas coisas, mas... — Ele parou para beijá-la na testa, que começou a se franzir no momento em que ele disse que iria embora. — Volto hoje à noite.

O sorriso dela ficou ainda mais brilhante que o sol. Apenas olhar para aquela felicidade — uma felicidade pela qual ele era o responsável — fez Marcus sentir, subitamente, que era capaz de fazer qualquer coisa, enfrentar qualquer desafio, desde que fizesse Nicole feliz.

Mesmo assim, sabia que devia reiterar:

— Sem vínculos.

Ele pensou ter visto o brilho do sorriso dela diminuir um pouco, mas diante do comentário dela, Marcus achou ter sido só imaginação:

— Eu definitivamente não estou querendo um relacionamento.

Mesmo quando começou a perguntar-se por que ela não estaria a fim de nada mais sério, ele respondeu alegremente:

— Que bom! Vou ficar com sua chave e venho direto para cá quando acabar de resolver minhas coisas. — Beijou-lhe suavemente os lábios. — É melhor você se aprontar para gravar aquele clipe.

Quando, relutante, ela se desvencilhou dos braços dele, nenhum dos dois percebera que ele estava pisando em cima do lençol, até que este escorregou totalmente do corpo dela.

Obviamente surpreendida por sua nudez repentina, Nicole, instintivamente, tentou se cobrir com as mãos. Marcus sabia que não tinham tempo para brincadeiras, que o clipe dela estava gastando dinheiro hemorragicamente a cada minuto que ela não estava lá, mas queria que ela entendesse uma coisa.

— Enquanto estivermos juntos, minha gatinha, quero que seu corpo seja meu tanto quanto é seu.

Ela já estava ficando vermelha, mas, diante das palavras dele, o rubor se espalhou das bochechas ao peito, chegando aos seios. Por um momento, ela ficou parada onde estava, em pé, tentando esconder sua nudez. E, então, com um suspiro profundo e corajoso, deixou as mãos caírem ao lado do corpo e disse:

— Eu também quero isso.

Ciente de estar à beira de perder o controle, Marcus ordenou:

— Vá tomar seu banho.

Por um momento, pareceu que ela tentaria argumentar com ele. No entanto, apesar de cada célula no corpo dele querer agarrá-la, jogá-la na cama e comê-la até deixá-la rouca de tanto gritar com orgasmos, Marcus respeitava a carreira dela o suficiente para, em vez disso, afastar-se para pegar a camisa.

Ele a ouviu caminhar com passos delicados pelo carpete macio em direção ao banheiro e obrigou-se a ignorar a sensação do membro latejando dentro da calça, o gosto doce da boca de Nicole ainda grudado nos lábios dele.

— Marcus?

Ele se conteve por mais alguns segundos antes de olhar para ela por cima do ombro. Ela era incrivelmente bonita ali, prestes a ligar o chuveiro.

— Acho que não vou conseguir esperar até hoje à noite.

A água do chuveiro desceu e o cérebro dele foi instantaneamente reduzido a um mingau sem palavras, enquanto olhava Nicole jogar a cabeça para trás deixando a ducha escorrer sobre seus seios, sua barriga, o vale macio e úmido entre suas coxas.

Puta que pariu. Ele queria transar com ela de novo antes de ir embora. Não demoraria muito; na verdade, levaria uns 30 segundos, de tão pronto que já estava para possuí-la.

Segundos depois, as roupas dele estavam no chão; colocou uma camisinha e entrou no box do banheiro com ela.

— Só para me provocar — ele grunhiu.

Ela balançou a cabeça, sorrindo enquanto jogava as mãos ao redor do pescoço de Marcus e erguia-se para que pudesse enroscar as pernas em volta da cintura dele.

— Você adora isso.

— Não deveria — ele admitiu em voz rouca enquanto posicionava-os, deixando Nicole com as costas presas na parede azulejada para que ele pudesse pegá-la, engolindo o suspiro de prazer com seu beijo enquanto acariciava os mamilos intumescidos entre o polegar e o dedo médio —, mas adoro.

Tudo o que Nicole fizera desde que o conhecera na boate havia provocado os sentidos dele a ponto de fazer Marcus perder o controle com ela mais que uma vez.

Em algum lugar no fundo de sua mente, uma voz dizia que ela deveria

estar dolorida por causa do jeito como transaram na noite anterior, mas o corpo de Marcus já havia passado do ponto de ser interrompido. Deslizando uma mão de seus seios, encontrou o sexo dela, já totalmente molhado de tesão.

— Nicole, não consigo segurar. Me desculpe. — Ele escutava a própria voz a distância, um homem implorando por perdão, incapaz de parar a busca por seu objetivo, mesmo que ela ainda não estivesse pronta para ser preenchida por ele novamente.

Mas então, ela disse:

— Também não consigo segurar. — E foi como se o botão do "Já" houvesse sido ligado, uma luz verde que o cegou, tornando impossível fazer outra coisa a não ser enfiar seu pau dentro dela o mais fundo que conseguia.

Os corpos deles pareciam ter sido feitos para se encaixarem. Ela estava em tão boa forma e era tão forte que Marcus nem precisou segurá-la, ficando com as mãos livres para lhe acariciar os seios enquanto dava estocadas profundas dentro dela. A boca de Marcus devorava a dela e Nicole o engolia de volta até jogar a cabeça para trás, contra a parede, com uma arfada de prazer que ecoou entre as paredes do chuveiro.

— Ah, assim, por favor, bem assim — ela pedia a Marcus enquanto as paredes internas de seu sexo apertavam e comprimiam o pinto dele.

Querendo estar mais perto, o mais fundo que pudesse dentro de seu sexo molhado, Marcus agarrou-lhe a bunda e a comeu tão forte quanto queria ter feito na noite passada, forte o bastante para conseguir passar o dia todo sem ter que aparecer na gravação do clipe e carregá-la para um quarto vazio para comê-la de novo.

Conforme se aproximava do orgasmo, Nicole dizia o nome dele em meio à respiração entrecortada, e, Deus, como ele adorava o jeito como ela gozava com o corpo todo, cada músculo enrijecendo-se durante o clímax, até relaxar completamente.

Ele queria estar completamente lúcido quando ela chegasse ao orgasmo, não queria perder um só minuto de seu gozo, mas, quando estava com Nicole, Marcus simplesmente não tinha esse tipo de controle. Teve que beijá-la novamente, de um modo quase violento, enquanto alcançava seu próprio clímax. Assim como na noite anterior, o orgasmo dele parecia despertar feixes de luz dentro do corpo dela, forte o bastante para que choramingasse contra os lábios dele, implorando silenciosamente para que ele a ajudasse a suportar outro espasmo de prazer.

Marcus fez sua mão escorregar da bunda dela até a pélvis e pressionou o clitóris. Os olhos de Nicole se abriram de uma vez enquanto seu corpo respondia instantaneamente ao contato sensual e direto das pontas ásperas dos dedos dele no centro da excitação dela. Ele retirou a boca da dela, sabendo exatamente do que ela precisava, lembrando-se claramente de como a reação dela fora linda na noite passada.

— De novo — pediu a ela enquanto a manipulava entre as pernas. — Goze para mim de novo, Nicole. Exatamente como ele esperava, seu comando gentil fez com que os olhos dela se fechassem, a respiração se prendesse no peito e o corpo dela se entregasse completamente a um novo pico de prazer.

Desta vez ele estava feliz — muito feliz — por conseguir vê-la gozar enquanto ainda metia seu pau ereto dentro dela.

Já vira tanta beleza em sua vinícola em Napa, centenas de amanheceres e anoiteceres sobre as vinhas, um mais bonito que o outro. Mas Marcus abriria mão de todo amanhecer e até do último pôr do sol para ter a chance de ver a pele de Nicole pegar fogo, para sentir a ponta dos mamilos dela contra seu peito, para estar com ela quando o êxtase tomasse conta daquele corpo.

Quando os músculos de Nicole começaram a relaxar e as mãos e os pés se soltaram dele, Marcus colocou as mãos embaixo do quadril dela.

— Peguei você — ele disse no ouvido dela ao sentar-se no banquinho embutido no canto do chuveiro. Embalou-a nos braços.

— Estou muito atrasada. — Ela ergueu a cabeça e sorriu para ele. — Você é má influência para mim. — Alcançou o frasco de xampu antes que pudesse ver a surpresa estampada no rosto dele.

Marcus passara a vida toda tentando ser um bom exemplo, primeiro para seus irmãos e, mais tarde, para seus funcionários. E agora uma pop star achava que ele era má influência para ela? Tinha que dar razão a ela, considerando que a faria chegar terrivelmente atrasada para a gravação do clipe. Se Lori, a irmã dele, soubesse que ele era o responsável por aquilo, ela o mataria. O mínimo que poderia fazer era garantir que não a atrasasse ainda mais.

Ele pegou o xampu e começou a esfrega-lo no cabelo macio de Nicole.

— Posso fazer isso sozinha — ela protestou desanimada.

— Me deixe ter o prazer de cuidar de você.

Ela assentiu, dizendo "Ok", antes de relaxar nas mãos dele.

Depois de eficientes 60 segundos, o cabelo dela estava limpo e macio e ele estava acabando de tirar a espuma do sabonete de sua pele maravilhosa. No minuto seguinte ele a secara com uma toalha macia.

Com um beijo em seus lábios carnudos, ele disse:

— Vá e arrase.

Mas ela não saiu dos braços dele. E, de repente, pareceu muito pouco à vontade.

— Esse negócio que estamos fazendo; sei que parece horrível, mas só queria ter certeza de que vamos ter cuidado e manter tudo só entre nós.

Ele concordou, surpreso pela necessidade dela de confirmar com ele.

— Claro que é só entre nós.

— Ótimo. — Ela sorriu para ele, um pouco insegura. — Ótimo!

Nicole deu um último sorriso e então começou a se trocar o mais rápido que pôde. Saiu correndo pela porta, deixando Marcus sozinho na suíte de cobertura, imaginando como faria para não se apaixonar por ela.

Ou talvez já estivesse apaixonado.

CAPÍTULO DOZE

Embora nunca tivesse faltado a um compromisso nem se atrasado para um show ou entrevista, Nicole sabia que seu histórico anterior não faria a menor diferença hoje.

As pessoas acreditavam no que queriam, e ela tinha absoluta certeza de que todo mundo automaticamente pensaria que a balada da noite anterior fora tão boa que ela não aparecera para a gravação de seu próprio clipe. Assim, ainda que estivesse tentada a entrar no set pedindo mil desculpas, achou melhor não dizer nada. Ela tinha que estar completamente controlada a partir do primeiro momento em que pisasse no set.

— Oi, gente! — ela cumprimentou todos com a voz suave. — Peço desculpas pelo atraso. Tive que cuidar de um assunto importante hoje de manhã.

Ela nem se deu ao trabalho de prestar atenção às respostas, nem mesmo quando ficou com medo de enrubescer ao lembrar-se dos detalhes do “assunto importante”.

A paixão que ela e Marcus compartilharam havia sido uma loucura, a ponto de ela nem se preocupar se deveria confiar nele. Ele tinha a chave do quarto do hotel, o que significa que, se quisesse, poderia bisbilhotar à vontade por suas coisas. No entanto, embora tivesse jurado nunca mais confiar em um homem e sabendo que havia a possibilidade de estar sendo idiota e ingênua de novo, ela simplesmente não conseguia imaginar Marcus mexendo em nada.

De qualquer forma, não tinha espaço mental para processar o que faria com Marcus até que o clipe estivesse pronto; assim, forçou-se a tirá-lo da cabeça. Aquelas mãos grandes, aqueles lábios, aquele membro enorme entrando dentro dela e...

— Nick, bem na hora!

O cumprimento efusivo de Lori arrancou Nicole de seus pensamentos proibidos.

— Me desculpe por estar tão atrasada — ela disse em voz baixa, só para a coreógrafa.

A irmã de Marcus não deu importância ao pedido de desculpas de Nicole:

— Todo mundo tinha um ajuste para fazer, juro que acabaram neste minuto. Assim que acabar de se trocar e fazer a maquiagem, vamos nos aquecer, tá?

Nicole adorava o jeito de Lori de não fazer tempestade em copo d´água. Tantas pessoas com quem já trabalhara ao longo dos anos usariam isso contra ela, insinuariam que não era confiável e que não esperavam outra coisa dela.

— Perfeito. Obrigada.

Nicole estava se virando para falar com o diretor quando sentiu a mão de Lori em seu braço:

— Sei que estamos com pressa, mas, bem rápido, queria pedir desculpas por ter saído do jantar com você e o Marcus ontem à noite.

Nicole não queria admitir que nem havia pensado nisso depois que Lori saíra. Sentindo-se culpada, perguntou:

— Está tudo bem?

Lori deu de ombros.

— Vai dar tudo certo, de um jeito ou de outro, eu acho. — Foi a resposta misteriosa que ela deu. — Mas não teria ido embora se não tivesse certeza de que estaria em boas mãos com meu irmão mais velho. Ele tomou conta de você e a levou de volta ao hotel?

Nicole nunca fizera tanto esforço para fazer cara de paisagem. A respiração parou na garganta quando abriu a boca para tentar falar e pigarreou algumas vezes antes de conseguir responder:

— Claro, ele foi ótimo.

Tão ridícula e maravilhosamente ótimo que ela quase desistira do clipe só para ter a oportunidade de passar o dia inteiro nos braços dele.

Por sorte, o diretor entrou e a salvou de enrubescer ainda mais. Feliz pela chance de se concentrar no trabalho em vez de no turbilhão de emoções que sentia com relação ao que acontecera com Marcus, Nicole passou as 12 horas seguintes trabalhando como nunca trabalhara na vida.

Todo mundo poderia ter começado o dia achando que ela era uma pop star que não inspirava confiança... mas, no final, ela provou que podia aguentar mais que todos.

Doze horas depois...

Ela havia superado todo mundo, mas a que custo?

Depois de arrastar-se até o elevador para a cobertura, Nicole mal tinha forças para erguer a mão e colocar a chave no leitor ao lado da porta.

Ficou lá parada, com a cabeça encostada na parede e os olhos fechados. Trinta segundos a mais e ela teria desmaiado e ficado sem se mexer por mais 24 horas.

Com um clique, a fechadura destrancou-se e ela colocou o peso do corpo na porta para abri-la. Mal vislumbrou Marcus sentado à mesa de jantar atrás do laptop antes que ele viesse correndo em direção a ela.

— Nicole. — Ele a pegou um momento antes de ela desmaiar. — Nossa, o que fizeram com você hoje?

— Eles não fizeram nada. Foi meu orgulho idiota — ela respondeu, mesmo sabendo que não fazia o menor sentido. E então, ai, meu Deus, era tão bom estar nos braços dele que perdeu completamente sua linha de pensamento enquanto deixava que ele a carregasse até o sofá.

Ela fechou os olhos, encostada no peito dele e, por fim, entregou-se à mais completa exaustão.

Nicole acordou nos braços de Marcus, desorientada, porém à vontade. Ele havia sido tão gentil, colocando almofadas embaixo de seu torso e de seus pés enquanto ela dormira como uma pedra. Ela adorava ficar assim com ele, aconchegada e segura. Ninguém nunca a fizera sentir-se tão à vontade desse jeito, como se não tivesse nada para provar. Diante dele, ela não precisava estar "ligada", nem desempenhar algum papel para impressioná-lo; podia simplesmente ser ela mesma, Nicole, em vez da internacionalmente famosa Nick.

— Que horas são? — Os olhos pareciam cheios de areia e seu corpo doía de dançar e interpretar a 110% durante 12 horas ininterruptas.

— Tarde.

Sentindo-se mal por ter pedido para passar mais uma noite com ele, para, de novo, tê-lo embaixo dela em um sofá enquanto roncava, ela disse:

— Sempre pego no sono com você.

Ele riu suavemente.

— Fico imaginando se isso deveria ser um sinal.

Aliviada porque ele não estava chateado por ela não ter cumprido a promessa, ela respondeu:

— Vou compensar você. Prometo.

Inclinou-se para a frente para beijá-lo, a língua dela acariciando a dele durante alguns segundos, antes de Marcus se afastar de repente.

— Você está cansada. Primeiro, me conte sobre o clipe.

Ela preferia beijá-lo a ter que falar sobre seu dia atribulado, porém, quando ele começou a massagear um de seus pés, ela não conseguiu fazer nada além de resmungar sobre o quanto doía... e o quanto era bom ao mesmo tempo. As mãos dele eram suaves e firmes, exatamente como quando fizeram amor.

A certa altura, Nicole percebeu que ele lhe perguntara alguma coisa, mas ela levou mais tempo do que deveria para se lembrar do quê.

— Correu tudo bem com a gravação — ela contou, sem ter noção do quanto ele realmente queria saber. Provavelmente estava só sendo educado, talvez pensasse que ela era uma daquelas celebridades que gostavam de falar sobre si mesmas quando, na verdade, Nicole preferia fazer qualquer outra coisa em vez disso.

— A Lori ligou assim que você voltou. Ela não parou de falar no quanto você foi espetacular.

O estômago de Nicole revirou-se, mal acreditando no que acabara de ouvir.

— Eu não disse nada sobre nós. Juro.

O que quer que *nós* significasse.

— Sei que não. Minha irmã está muito feliz por trabalhar com você, desde o início. Ela me disse que nunca viu ninguém tão concentrada e que trabalhasse tanto quanto você. Para mim, isso não é nenhuma surpresa.

Nicole sentia-se totalmente quente diante do toque das mãos dele subindo por sua panturrilha, enquanto Marcus massageava os nós de seus músculos; com o elogio, a quentura espalhou-se por todo o corpo dela.

— A maioria das pessoas se surpreende. — O comentário levemente amargo saiu-lhe dos lábios antes que pudesse segurá-lo. Diante do olhar inquisitivo dele, ela explicou: — Minha imagem não é exatamente a de um gênio viciado em trabalho. — Ela deveria estar muito cansada para falar tão abertamente com Marcus sobre esse tipo de assunto.

Ele franziu o cenho.

— Sua imagem?

Mesmo sabendo que deveria terminar a conversa, ela continuou:

— Ah, vai, você deve saber tudo sobre imagens na mídia, considerando que um de seus irmãos é um grande astro do cinema.

— Como sabe disso?

— Não se preocupe — ela respondeu com uma voz mais arrogante do que deveria. — Não pesquisei sobre você na internet.

Marcus levantou a sobrancelha enquanto ela explicava:

— A Lori me disse ontem que o Smith Sullivan é irmão de vocês. — Nicole meneou a cabeça e olhou cuidadosamente para Marcus. — Se eu estivesse procurando pela semelhança familiar, talvez pudesse ter ligado vocês três.

— Se soubesse que eu era irmão da Lori e do Smith, você não teria ido embora da boate comigo.

Era uma declaração, não uma pergunta.

— Você está certo — ela concordou sem rodeios. — Não teria ido embora com você. — Ela fez uma pausa antes de continuar: — E, se você soubesse que eu era a infame Nick, também não teria ido embora comigo.

Ao usar a palavra *infame*, os olhos negros de Marcus brilharam com algo que ela não conseguiu ler, mas, antes que ele pudesse responder, deu-se conta:

— Ei, aquela casa para onde fomos na primeira noite era do Smith, não era?

Marcus simplesmente balançou a cabeça, confirmando, e perguntou:

— Por que infame?

— Você realmente não sabe? — Deus, ela gostaria que não fosse tão difícil de acreditar. Mas, ainda que não soubesse quem ela era naquela primeira noite, desde que descobrira que ela era Nick, Marcus já tivera tempo suficiente para fazer uma pesquisa.

— Também não fui à internet pesquisar sobre você.

Ui, não era muito divertido ter suas próprias palavras sarcásticas sendo ditas de volta a ela. Ela piscou e disse:

— Me desculpe. Passei dos limites com aquele comentário.

— Com certeza, passou mesmo — ele concordou enquanto escorregava a mão da panturrilha para a coxa, começando a massagear aquele músculo grande e firme. — Mas tenho certeza de que tem que lidar com esse tipo de coisa todo dia, não tem?

Nicole achava muito difícil acreditar que ele não soubesse de nada sobre a história dela. No entanto, de novo, ele não era exatamente seu público-alvo; então, por que deveria saber?

— Sim, tenho — ela confirmou —, mas é um mal necessário, assim como minha imagem. Sempre achei que, desde que consiga tocar minha música para as pessoas, o sacrifício vale a pena.

— E qual é sua imagem, Nicole?

Que droga. Nicole gostaria que eles mudassem de assunto, antes que ela, sem querer, lhe contasse mais do que gostaria sobre si mesma e seu passado. Com certeza ele poderia achar *on-line*, em segundos, qualquer coisa que quisesse, mas grande parte dela — provavelmente a parte mais ingênua — não conseguia imaginá-lo sentado ao computador, procurando fotografias de paparazzi e histórias na revista *People*.

E agora que ele fizera uma pergunta direta e estava claramente interessado na resposta, não tinha escapatória.

— Minha imagem é bem óbvia — ela disse com uma cara retorcida. — Sexy. — Ela lambeu os lábios antes de soltar a palavra: — Baladeira.

— Consigo ver a sexy — ele comentou —, mas a baladeira? — Marcus encrespou a testa, olhou ao redor da suíte quase escura e silenciosa. — Não parecia que você estava dando festas de arromba antes de nos conhecermos.

Ela deu de ombros.

— As pessoas acreditam naquilo que é mais fácil de acreditar.

— Com certeza — ele concordou —, mas só quando existe um motivo para elas acreditarem.

Ela detestava falar sobre isso, especialmente com Marcus, mas prometera a ele que seria honesta.

— Nem sempre tomei as melhores decisões.

Enquanto olhava para os joelhos, ela podia sentir os olhos dele sobre ela, quentes e escuros.

— Todo mundo toma decisões ruins em algum momento da vida.

Ela olhou para ele.

— Você já tomou?

Marcus franziu os lábios.

— Na verdade, há muito pouco tempo.

Não havia outra coisa a fazer além de sentir-se confortada por aquilo.

— Infelizmente, tomei minha decisão diante do mundo. Daí a imagem de baladeira.

— Não daria para mudar isso, se realmente quisesse? Se deixasse as pessoas verem quem você é de verdade?

De fato, Nicole já se fizera essa mesma pergunta várias vezes durante o último ano, toda vez que seu estilista lhe trazia roupas cada vez mais ousadas, que não passavam de meras tiras de tecido. Conversar com seu gerente, gravadora ou agente parecia impossível; nenhum deles podia negar que a carreira dela explodira depois que Kenny a traíra. Ela fora capa de mais de uma dezena de revistas e, de repente, tornara-se mercadoria valiosa em *talk shows*. Desde então, sua popularidade não havia caído. Pelo contrário, só havia aumentado.

— Sei lá — ela disse. E em seguida: — Talvez. — Outro balançar de ombros. — Minha carreira nunca esteve tão bem. Talvez baladeira não seja necessariamente uma coisa ruim.

— Não, não é necessariamente uma coisa ruim — ele concordou —, mas não é você, certo, Nicole?

Desanimada, ela se perguntava como era possível que ele já a conhecesse tão bem. Será que na noite anterior, quando seus corpos gozaram juntos, e naquela manhã, quando sugara cada milímetro de prazer, Marcus também lhe tocara o coração, encontrando a verdade que ela vinha escondendo de todos?

Diante do silêncio de Nicole, Marcus insistiu de forma mais branda:

— Até agora, só ouvi uma música sua, e era fantástica. Para mim, parece que você é talentosa o bastante para deixar que suas músicas falem por si próprias.

Toda essa conversa estava chegando a um território muito íntimo. Para um relacionamento que não passaria de sexo, parecia que Marcus estava indo longe demais.

Nicole queria tirar o foco de atenção de cima dela e decidiu que não era justo só ele fazer todas as perguntas. Então falou:

— Chega de falar de mim. Durante nosso intervalo hoje, a Lori estava me contando sobre sua vinícola. Como começou com isso?

Em vez de responder à pergunta, ele reclamou:

— Minha irmã fala bastante, não é?

Ela sorriu.

— Você é o herói dela. — O sorriso de Nicole desapareceu quando prosseguiu: — A Lori me contou que você, basicamente, criou as gêmeas, além de dois dos seus outros irmãos que são só um pouco mais velhos que ela.

Lori não fizera cerimônia para contar que seu pai morrera quando ela tinha 2 anos de idade, deixando a mãe com oito filhos para criar sozinha. Nicole imediatamente se perguntara quanto desse peso recaíra sobre os ombros de Marcus. Olhando para ele, depois de duas noites juntos, sabendo o quanto ele era centrado e forte, sentiu já saber a resposta.

Marcus mudou de posição para poder alcançar melhor o outro pé de Nicole. Ela gemeu de prazer quando ele começou a apertar-lhe a pele sensível.

— Muito forte?

— Não, está perfeito.

O ar tremeu depois da palavra *perfeito*, levando-a diretamente de volta àqueles momentos em que ele enfiara o membro em seu sexo, ela implorando por mais, mais forte, mais fundo. Nicole sabia que ele tivera medo de machucá-la.

Mas, ah, a dorzinha que sentira naquela primeira vez valera muito a pena.

— Meu pai era um jardineiro de mão cheia — ele contou, a massagem indo dos pés para a panturrilha. — Minhas primeiras lembranças de infância são de fazer um buraco na terra ao lado dele enquanto ele plantava tomates e morangos.

As entranhas de Nicole se derreteram a imaginar Marcus como um bebê, enfiando a pazinha na terra. Tentava dizer a si mesma que estava reagindo assim só porque adorava bebês, mas sabia que era Marcus que a fazia derreter. Claro, o fato de ele estar chegando cada vez mais perto da coxa dela, mais perto da parte de seu corpo que estava latejando à espera do toque dele, contribuía muito para seu estado de derretimento.

— Sempre admirei as pessoas que têm mão boa para plantar. — Ela olhou para as próprias mãos. — Infelizmente, as minhas são boas para matar. As plantas saem correndo quando me veem chegando.

Ela amou a cara que ele fez quando disse:

— Não acho que minhas mãos sejam melhores que as suas. Na verdade, é tudo uma questão de matemática e ciência.

Marcus fazia tudo parecer tão fácil, como se ele não tivesse nada a ver com aquilo, mas Nicole não acreditava nisso.

— Isso é como dizer que as músicas são apenas combinações de notas e palavras. — Ela balançou a cabeça. — Elas são isso também, mas sempre achei que o que faz uma música ser realmente especial é alguma mágica indefinível, que ou está lá ou não. Aposto que suas vinhas são assim também. — Ela deu um sorrisinho. — E você é a mágica que as faz crescer tão bem.

— Nunca pensei sobre isso dessa maneira — ele disse devagar. — Como algo mágico.

Nicole esperava que ele fosse relevar o que acabara de dizer, que voltaria àquela postura de quantificação matemática e ciência. Em vez disso, os olhos dele ficaram intensos, cheios daquele desejo que fazia o sangue dela ferver.

— Sabe de uma coisa, acho que você está aprontando alguma.

Em um instante, a mágica que existira entre eles desde o início ressurgiu, como se uma fada do sexo houvesse acabado de aparecer com sua varinha de condão.

CAPÍTULO TREZE

— Coloque os braços acima da cabeça, minha gatinha.

Ela engoliu em seco diante daquele comando em voz baixa. Depois de um suspiro rápido, insuficiente para lhe encher os pulmões, ela encostou-se no travesseiro atrás das costas e, lentamente, fez o que ele pediu.

Com as mãos e os braços fora do caminho, ele alcançou o zíper da larga blusa que Lori emprestara a Nicole no final daquele longo dia.

— Lembra-se do nosso acordo de hoje de manhã? — ele perguntou enquanto descia o zíper, sem pressa.

— Sim — ela respondeu. O som era mais um suspiro que uma palavra. — Lembro.

— Que bom — ele respondeu e então prosseguiu: — Me diga.

Ah, Deus, a respiração ficava mais ofegante a cada segundo, especialmente com as mãos dele passando pelos seios dela enquanto ele abria a blusa. Os mamilos dela eram pontos duros contra o fino tecido da camiseta.

— Enquanto estivermos juntos... — Ela não era capaz de repetir o que ele dissera.

— Continue, estou ouvindo.

Ela deu um suspiro entrecortado; sabia que não precisava dizer aquilo, mas algo dentro dela queria dizer, queria agradá-lo.

— Meu corpo é tão seu quanto meu.

Os olhos dele brilharam com aprovação... e com tanto desejo que tirou o último suspiro que ainda restava a Nicole.

— Tire sua blusa e seu top e deite-se com as mãos atrás da cabeça de novo.

Com exceção da massagem, ele ainda não a tocara, e ela já estava ensopada entre as coxas só de ouvir aqueles comandos sensuais. Talvez não devesse mais se surpreender com sua reação àquela gentil dominação, ao fato de seu corpo claramente *adorar* aquilo; no entanto, ainda se surpreendia.

— Alguma vez já levou uma surra, Nicole?

Os olhos dela voaram até os dele, a pergunta chocante tirando-a de suas fantasias.

— Uma surra?

A pulsação de Nicole se acelerou com a ideia de ser colocada no colo dele, nua da cintura para baixo, a grande mão dele batendo sobre a pele dela.

— Não. — Ela balançou a cabeça. — Claro que não.

Os lábios dele esboçaram um sorriso diante da reação dela. Entretanto, em vez de dizer mais alguma coisa sobre a surra, ele disse:

— O que foi que pedi para você fazer?

De repente ela se deu conta de que ainda não havia tirado nem a blusa nem a camiseta. Por um milésimo de segundo, um turbilhão de desejo lhe invadiu o corpo diante daquela ideia chocante e ficou indecisa entre continuar vestida e arriscar levar uma surra ou obedecer à ordem dele.

O medo do desconhecido — e de seus próprios desejos surpreendentes — levou Nicole a fazer rapidamente o que ele pedira.

Quando estava nua da cintura para cima, ela deitou-se no travesseiro e começou a erguer os braços. A esta altura, mesmo sabendo que Marcus já estava acostumado com os seios dela, ainda tinha vergonha de ficar nua assim para um homem.

— Está se saindo muito bem.

As doces palavras combinadas à quentura do olhar dele fizeram-na, finalmente, erguer os braços até em cima.

Nicole esperava que ele a tocasse, acariciasse, degustasse. Em vez disso, ele simplesmente olhou para ela, sem pressa. A demora foi tanta que seus mamilos já doíam, aguardando para serem tocados, e o V entre as pernas latejava, molhado. E, então, ele a surpreendeu pegando a blusa para amarrar-lhe os pulsos.

— Tente mexer as mãos para que eu possa ver se está muito apertado.

A voz dele estava rouca, cheia de volúpia. Ela mexeu os braços e sentiu o nó macio contra a pele; mesmo assim, daria muito trabalho para se soltar.

Dois dias antes, ela poderia ter jurado que nunca se permitiria ser colocada em uma posição como esta. Ela deveria se soltar, mas não queria, não é?

Como se quisesse compartilhar os mistérios das perguntas que Nicole fazia a si mesma, Marcus disse:

— Me diga do que você precisa, Nicole. Me diga o que você quer.

Ele colocou as mãos na cintura dela, a pele bronzeada contra a barriga pálida dela. Ela sentiu arrepios ao ver o quanto era pequena perto dele, por saber que ele poderia fazer o que quisesse com ela neste momento, que estava completamente à mercê da força dele. Esses pensamentos não deveriam deixá-la excitada, mas, surpreendentemente, foi o que aconteceu.

— Se não me disser, vou ter que adivinhar — ele disse antes de se inclinar sobre o torso nu dela. Quando Marcus pressionou a boca sobre o ombro dela, o cabelo dele lhe fez cócegas embaixo do queixo, o suficiente para fazê-la ferver com o calor de seu corpo, antes de ele retroceder.

Nicole não estava acostumada a verbalizar seus desejos sexuais. No entanto, eram tão fortes que acabou se esquecendo de manter as mãos sobre a cabeça. Tentou alcançá-lo antes de lembrar-se de que suas mãos haviam sido amarradas.

Por Marcus.

Vendo o desejo óbvio nos olhos dela, ele disse:

— Isso mesmo, minha gatinha. Você é toda minha agora, minha para brincar, não é?

Na verdade, por mais que se mostrasse ao mundo como uma bomba sexual, Nicole era uma feminista. A força feminina era o negócio dela. Deveria estar louca da via neste momento.

Mas estava praticamente gozando só de pensar em ser *toda dele para brincar.*

— Isso não... — Ela não sabia como dizer a ele o que estava sentindo, mas, de alguma forma, sabia que era importante dizer. — Eu não deveria estar me sentindo assim.

— Diga para mim o que está sentindo.

Aquela voz baixa que retumbava e ecoava por todo o seu corpo, fazendo-a querer entregar todos os seus segredos, todos os desejos que nem mesmo sabia possuir, esperando para serem descobertos durante todo este tempo.

— Esta não sou eu. Não gosto que me deem ordens.

Ela podia jurar que ele quase sorriu e, estranhamente, em vez de ficar zangada, em vez de sentir que ele ria dela, isso a fez sentir que talvez não fosse tão esquisito gostar das coisas que ele dizia — e fazia — com ela.

— Estou dando ordens a você?

Nicole estava quase dizendo que sim quando percebeu que isso não era necessariamente verdade.

— Você me diz para fazer coisas — ela murmurou, incapaz de olhar para ele agora, sentindo-se mais tímida que nunca. — Eu não deveria fazer essas coisas. — Ela podia sentir o quanto seu rosto estava vermelho. — Não deveria gostar de estar fazendo essas coisas.

Os dedos dele escorregaram até o queixo dela e levantaram-lhe suavemente o rosto.

— Adoro ver você reagindo a mim. Adoro ver a mulher mais linda que conheci tremer de desejo na minha frente. Adoro ouvir você implorando para que eu toque, beije e possua você.

Tudo o que ele dissera, a rouquidão da voz, fez Nicole arrepiar-se de desejo. Mesmo assim, sentiu que deveria protestar uma última vez, uma última aposta a favor da sanidade.

— Mas sou eu quem geralmente diz às pessoas o que fazer.

— Já pensou que essa pode ser a oportunidade que você estava esperando? — ele perguntou suavemente. — Que esta é sua chance de deixar que alguém tome conta de você durante algumas horas, em vez de ter que tomar conta de tudo sozinha?

O cérebro dela estava inebriado de desejo, mas, mesmo assim, o que ele disse fazia sentido.

— Me toque, Marcus. Me beije. — Ela fez uma pausa, juntando toda a sua coragem. — Me coma.

Quando se deu conta, estava deitada com Marcus por cima dela, o corpo grande dele pressionando o dela nas almofadas. Com uma das mãos, ele cuidou para que as mãos dela continuassem atadas sobre a cabeça, enquanto a outra mão tocava entre as pernas dela, ao mesmo tempo em que lhe abocanhava os seios.

Ela se arqueou ao toque dele, a conversa sobre o quanto ele gostava de mandar e o quanto ela gostava de obedecer — sem falar na massagem antes disso — sendo preliminares mais que suficientes para excitá-la ao menor toque.

— Dê mais para mim, Nicole — ele implorou a ela, as palavras quentes enquanto lhe beijava todo o peito até tomar o outro mamilo em sua boca. — Dê tudo para mim.

Em resposta, os músculos internos do sexo dela apertaram tanto os dedos dele a ponto de ela mesma gritar diante da sensação de prazer e dor ao gozar embaixo dele. O polegar de Marcus fazia deliciosos círculos de prazer no clitóris dela e Nicole pressionou o quadril sobre a mão dele vez após outra, enquanto o orgasmo continuava a fazer seu corpo tremer.

Confusa pela exaustão, diante da maneira como o orgasmo havia lhe varrido o organismo, Nicole teve apenas uma vaga noção de Marcus desamarrando a blusa de suas mãos e tirando as próprias roupas. Pelas pálpebras semiabertas ela observou-o ir ao banheiro e voltar com uma camisinha no membro absurdamente ereto. Os braços dela não estavam mais amarrados; no entanto, não tinha forças para movê-los.

E, então, ele se ajoelhou em frente ao sofá, posicionando-a de modo que as costas e os ombros dela ficassem nas almofadas, mas seu quadril ficasse pendente na beirada. Antes que pudesse respirar de novo, as mãos dele agarraram-lhe a bunda e ele arremessou-se dentro dela.

Ela enrolou os dedos no sofá, precisando segurar-se em alguma coisa enquanto ele tomava seu corpo, tornava-a indubitavelmente dele, a possuía como nada jamais fizera, exceto a música. E, mesmo estando exausta pelo dia cansativo, pela massagem, pelo orgasmo alucinante que acabara de ter, a sensação daquele pau grosso dentro dela tirou-lhe as últimas forças de seu profundo poço de energia.

Querendo sentir aqueles músculos rígidos na ponta dos dedos, Nicole alcançou-o. Lançando os braços ao redor do pescoço dele, ela puxou-se para cima, seus seios esfregando-se contra os pelos escuros no peito de Marcus. Suas bocas se encontraram, sedentas pelos beijos, beijos com os quais ela sonhara o dia todo, mesmo quando tentava se convencer de que estava ocupada demais para pensar nele.

Ele a beijou de volta, faminto, como se nunca fosse se fartar dela, e gemia sobre seus lábios, Nicole sentindo-o crescer ainda mais, preenchendo-a tão completamente a ponto de quase não conseguir respirar.

E, então, ele afastou-se do beijo e jogou a cabeça para trás, gozando com um rugido estrondoso que a excitou mais ainda, o som do prazer reverberando no quarto, a pélvis dele esfregando o clitóris dela. Mais uma vez, Nicole mergulhou no abismo.

Direto para os braços de Marcus.

CAPÍTULO CATORZE

Marcus estava se acostumando rápido a acordar com Nicole enroscada em seus braços. Quando estavam fazendo amor e ela gozara com todo desejo e paixão, ele quase se esquecera do quanto ela era pequena. Mas, encaixando-se no corpo dela sobre aquela cama enorme, lembrou-se novamente.

Seu pênis ereto roçava a bunda dela enquanto Nicole se mexia durante o sono, esfregando-se nele. Ela praticamente segurava uma das mãos de Marcus sobre seus seios e ele teve que respirar fundo para recuperar o controle que perdera praticamente desde o momento em que a conhecera. Ele não poderia tomá-la de novo antes mesmo de ela acordar.

Apertou seu abraço ao redor dela e puxou-a para mais perto dele, mesmo prevendo a loucura daquilo que estava fazendo.

Não devia ter passado mais que uma noite com Nicole. Puta merda, até mesmo uma só noite no sofá de Smith com ela dormindo em seu colo já fora mais que suficiente. Definitivamente, não deveria esperar passar um dia todo com ela; não deveria se sentir como uma criança em uma loja de doces diante da oportunidade de ver a pele dela brilhar sob a luz do sol ou de, com a respiração presa, esperá-la sorrir novamente, enchendo-lhe o coração de alegria e beleza.

E não deveria ter medo de dizer adeus a ela quando entrasse em seu próximo voo rumo a outra cidade, a outro show.

Marcus estava tão concentrado em proteger-se contra tudo o que não deveria estar sentindo por ela que foi pego de surpresa pelo movimento lento da língua dela escorregando por um de seus dedos, então por outro, e outro.

Será que ela realmente ia lamber todos os dedos, um a um?

Puta merda, ela ia mesmo.

Felizmente, deixara algumas camisinhas perto da cama para poder pegá-las facilmente. Odiando tirar as mãos dela a não ser pelo tempo extremamente necessário, ele abriu a embalagem com os dentes e, rapidamente, escorregou o preservativo sobre o membro latejante.

Não trocaram palavras enquanto ele colocava as mãos sobre a coxa e lhe ajeitava o quadril, posicionando a cabeça do pinto bem na abertura dela... e escorregava direto para dentro daquela umidade já esperando por ele.

Nicole deu um gemido entrecortado quando ele a penetrou até o fundo e agarrou-lhe o quadril para puxá-la mais apertada contra o peito dele. Eles deitaram-se assim por um bom tempo, o pau dele latejando dentro dela enquanto ela o espremia e apertava-se em volta dele.

Enquanto lhe acarinhava os seios e sentia o coração bater acelerado, Marcus se deu conta de que era disso que sentiria mais falta. Não só daquele corpo extraordinário, não só daquela paixão, não só da maneira como ela sempre estava pronta para recebê-lo, como agora... mas do quanto ela era pura e doce.

A enxurrada de emoções inesperadas por Nicole fez Marcus perder os últimos vestígios de autocontrole que ainda lhe restavam. Sabendo que mal tinha 30 segundos antes de explodir de prazer, tirou as mãos dos seios dela e colocou-as sobre o clitóris. Ela arfou no momento em que os dedos dele deslizaram e escorregaram para dentro de sua abertura molhada; então, em um vaivém frenético, Nicole sinalizou a ele que era seguro gozar, pois ela já estava quase lá.

Juntos, Nicole ajudou-o a dar as boas-vindas ao dia com um prazer que jamais conhecera. E, quando o orgasmo dela provocou o gozo dele, Marcus não podia mais negar a verdade: Nicole agora tinha um pedaço de seu coração.

Quer ele quisesse ou não.

Nicole olhou para Marcus por cima da pequena mesa redonda ao lado da janela, onde haviam acabado de devorar panquecas, salsichas e uma enorme tigela de frutas. Ela ficou imaginando como é que tomar café da manhã juntos poderia ser tão íntimo quanto fazer amor.

Provavelmente, disse a si mesma, era simplesmente por fazer muito tempo que não compartilhava uma manhã tão prazerosa com um homem. Na verdade, nunca havia feito isso, considerando que Kenny sempre estava de ressaca e não costumava acordar muito antes do meio-dia.

Embora Marcus trabalhasse na indústria de vinhos, ela não conseguia imaginá-lo bêbado. Era mais uma coisa que a fazia sentir-se segura com ele.

De repente, Nicole queria que ele soubesse o quanto ela o admirava, o quanto estava gostando dessas horas roubadas e secretas, e disse:

— Imagino o quanto tenha que trabalhar na sua vinícola.

Ela alcançou as mãos dele do outro lado da mesa, calafrios subindo pelos braços quando ele entrelaçou seus dedos aos dela.

— Obrigada por passar esse tempo comigo.

— Eu não gostaria de estar em nenhum outro lugar — ele disse. Então, continuou: — O que você normalmente faz nos seus dias de folga?

Ela mordeu o lábio.

— Não sei. Na verdade, não tenho tido muitos dias de folga desde que comecei a cantar.

Especialmente nesses últimos seis meses depois de seu coração — bem, na verdade, seu orgulho — ser ferido, fora mais fácil direcionar toda a atenção para sua música e sua carreira.

— Acontece o mesmo comigo. Como você disse, as vinhas requerem atenção.

Apesar de todas as diferenças óbvias, Nicole ficou surpresa ao perceber que eles não eram polos opostos em todas as coisas. Ela sorriu.

— Não é triste que dois viciados em trabalho feito nós não saibamos o que fazer com um lindo dia de folga?

Ele a puxou para seu colo.

— Consigo pensar em pelo menos meia dúzia de coisas.

Ela sorria enquanto ele lhe mordiscava o pescoço, ridiculamente tentada a passar o dia todo com ele na cama. Especialmente quando ele estava assim, tão brincalhão. Ela voltou o rosto para ele; Marcus ergueu os lábios e mergulhou no beijo mais doce que jamais lhe dera.

— Que tal se eu levar você a um dos meus lugares favoritos?

A princípio, Marcus lhe parecera uma pessoa muito reservada, de forma que a oferta dele tinha um significado ainda maior para ela.

— Eu adoraria. — Ela odiava ter que lembrá-lo de sua situação. — O problema é que a maioria dos lugares aonde vou acaba virando uma loucura.

— Eu sei. Não se preocupe. Acho que o lugar que tenho em mente será perfeito. — Ele roçou os dedos pelos lábios dela e arrepios lhe percorreram o corpo. — É bem remoto.

A voz dela parecia mais um suspiro quando disse:

— Remoto é bom. — Imagens daquela meia dúzia de coisas que poderiam fazer um com o outro em algum lugar remoto fizeram o sangue de Nicole esquentar ainda mais.

Ela estava prestes a tocar-lhe os lábios dele com os seus quando ele murmurou:

— Se beijar você de novo, acho que nunca vamos sair do hotel.

— Tudo bem.

Um segundo depois, as mãos dele estavam nos cabelos dela, puxando a boca até a dele. Ambos famintos de desejo, ela se ajeitou para poder montar sobre ele na cadeira. Ele já estava grande e duro no meio das pernas dela e ela, instintivamente, começou a ir para a frente e para trás enquanto se pegavam.

Era a primeira vez que ela estava no controle da transa e, por mais que adorasse obedecer aos comandos sensuais de Marcus, ela também adorava estar no controle, adorava saber que o deixava louco com sua boca, com suas mãos percorrendo o peito embaixo da camisa de mangas compridas que ele vestira depois que tomaram banho. Um banho completamente sensual que deveria tê-la saciado pelo menos até o pôr do sol.

No entanto, seu tesão, seu desejo por Marcus não tinha limite racional. Ainda bem, ela pensou com um sorriso, que ele parecia sentir a mesma coisa.

Ela interrompeu o beijo e disse:

— Já volto.

Escorregando do colo dele antes que pudesse agarrá-la, ela saiu para pegar uma camisinha. Quando voltou, ficou satisfeita ao notar a surpresa — e a luxúria — brilhando nos olhos dele ao perceber que ela havia tirado toda a roupa.

Ao caminhar em direção a Marcus, ainda envergonhada por sua nudez, foi o prazer nos olhos dele que deu coragem a Nicole. Quando chegou mais perto, ele a alcançou, mas, em vez de voltar para seu colo, ela ajoelhou-se lentamente entre os joelhos dele.

— Nicole?

Ao pronunciar o nome dela, a voz dele estava rouca, quase áspera, e as mãos dela tremiam de desejo e prazer ao descer-lhe o zíper das calças.

Ele tomou as mãos dela nas dele.

— Você não precisa fazer isso.

Ela manteve o olhar.

— Eu quero fazer isso. — E fez com tanta vontade que chegou a chocar a si mesma.

O gemido baixo dele diante da resposta honesta de Nicole fez os mamilos dela intumescerem. Torcendo para que ele não ficasse decep-

cionado com a técnica dela — ou a falta dela —, com a ajuda dele, tirou-lhe a calça e a cueca para revelar...

Ah, meu Deus. Era tão lindo, tão grande. Muito maior do que se lembrava, ainda que já o tivesse visto e sentido dentro dela, mais de uma vez.

Ela esticou a mão para alcançá-lo, para roçar os dedos sobre a pele macia cobrindo aquele pau incrivelmente duro e quente.

— Deus, como isso é bom.

Nicole estava tão concentrada explorando Marcus que mal podia ouvi-lo enquanto o envolvia entre as mãos. Ele cresceu e a boca de Nicole encheu-se de água ao ver uma gota de sêmen na ponta do pênis.

Sem pensar, ela inclinou-se para a frente e o lambeu. Em um gemido alto, os dedos dele enfiaram-se nos cabelos dela. Ela sabia que ele poderia ter tomado o controle das coisas, poderia ter virado o jogo e a segurado lá até se fartar de prazer dentro da boca de Nicole. No entanto, mesmo ciente de que uma parte dela ficaria satisfeita por essa dominação, desta vez estava feliz por Marcus deixá-la fazer as coisas em seu próprio ritmo.

A pele dele estava limpa e salgada, e ela se deu conta de que só uma amostra não chegava nem perto de ser suficiente. Em seguida, Nicole começou a passar a língua pelo pinto dele, como se fosse o picolé mais delicioso que já provara, mas nem mesmo isso era suficiente. Ela o queria dentro da boca. Inteiro.

Antes que pudesse abrir bem a boca para engoli-lo, Marcus finalmente tomou o controle e a fez levantar-se para montar sobre ele de novo.

— Eu não tinha terminado — ela protestou. Acrescentando, cheia de si: — Queria fazer você gozar na minha boca.

Diante dessas palavras, ele a puxou e beijou-a avidamente. Nicole ficou tão envolvida com o beijo que se surpreendeu ao perceber que ele já colocara uma camisinha e a penetrava com tanta força, e tão rápido, que ela buscou ar nos lábios dele.

Ele parou dentro dela, perguntando:

— Gatinha? — E ela percebeu que ele ainda estava preocupado em machucá-la.

Primeiro ela reagiu mexendo o quadril para ainda mais perto dele; depois, disse:

— Perfeito. Absolutamente perfeito.

E, então, quando ambos chegaram ao orgasmo e se entregaram uma vez mais, realmente foi tudo perfeito.

Um pouco mais tarde, quando estavam prontos para sair do quarto do hotel, ela se preparou para poder encarar o que vinha pela frente.

— Por que não desce primeiro e eu encontro você na entrada lateral? — Ela tirou o boné de beisebol e os grandes óculos escuros da bolsa. — Vou usar isto e uma camisa bem grande.

Quinze minutos atrás, ela estivera sã e salva nos braços dele. Agora, estava friamente planejando como sairiam do hotel sem serem vistos juntos. E odiava isso, odiava enxergar o contraste com tanta clareza.

— Não gosto de fazer as coisas assim, Nicole.

— Eu também não, mas... — Ela suspirou, balançando a cabeça. — O que você acha da vida do Smith?

— Ele se saiu muito bem. Tenho orgulho dele.

— Sim, mas tem inveja dele? Algum dia já quis estar na TV ou ter a mulherada pedindo autógrafos?

— Não, nem pensar.

Ela sabia que essa seria a resposta dele.

— Sei que odeia fazer as coisas dessa maneira, mas odiaria ainda mais o que aconteceria à sua vida se nós fizéssemos de outra forma.

Por alguns momentos, Marcus olhou fixamente para ela, tenso.

— Encontro você lá embaixo.

Ela observou-o ir embora, fechando a porta um pouco mais forte, e teve que engolir o nó na garganta. Ela odiava deixá-lo chateado, mas sabia que precisava manter-se firme sobre não deixar que ninguém soubesse do relacionamento deles.

Não porque tivesse medo de que ele a estivesse usando, como seu ex fizera. Marcus claramente não tinha nenhum interesse na fama ou no brilho dos holofotes. E ela tinha plena convicção de que não precisava do dinheiro que a venda da história de suas "noites de pecado" traria.

Infelizmente, desta vez, os medos dela eram totalmente diferentes.

Se não fosse cuidadosa e não envolvesse seu coração em uma couraça grande e espessa, tinha muito medo de se apaixonar por ele.

Na verdade, Nicole poderia apresentá-lo como seu namorado em um piscar de olhos, se achasse que o relacionamento deles tivesse alguma chance de dar certo. No entanto, sabia que era melhor não acreditar nessa fantasia. Ela e Marcus estavam só fazendo sexo. Muito sexo. Claro que criaram uma ligação especial durante aquele contato íntimo da pele na pele, com todas as horas que estavam passando juntos.

Mas o fato era que, na segunda-feira, ela voltaria à sua vida e ele, à dele. A última coisa de que precisava era de lembranças visuais do tempo que passaram juntos ou de entrevistadores perguntando o que acontecera ao maravilhoso executivo com quem ela estava saindo.

Sim, ela queria proteger Marcus do circo que a vida dele poderia se tornar caso fosse ligado a ela.

E também precisava se proteger... e se lembrar de preparar seu coração para o inevitável adeus da segunda-feira de manhã.

CAPÍTULO QUINZE

Marcus passara a vida inteira sendo justo. Depois de separar pelo menos mil brigas entre seus irmãos e irmãs, sempre assumira que tinha condições de ver todos os lados de um problema e analisá-lo sem se envolver emocionalmente com nenhum deles.

Então, qual era seu problema no que dizia respeito a Nicole? Ela não merecia a raiva dele, a frustração por terem que se esconder. Ela não tinha culpa de ser famosa; ela havia lhe dado a oportunidade de afastar-se das complicações da fama na noite anterior, mas ele não quisera.

Ele precisava se acalmar, e rápido, antes que Nicole se fechasse ainda mais e desaparecesse completamente da vida dele sem nem mesmo dizerem adeus na segunda-feira de manhã. Ele podia senti-la fechando-se mais a cada quilômetro que percorriam enquanto passavam pela ponte Golden Gate, indo em direção a Marin. E o fato era que ele odiava perder a ligação com ela mais do que odiava essa situação de ser invisível, saindo do quarto do hotel para pegá-la na entrada VIP lateral.

Ele alcançou a mão dela e entrelaçaram os dedos.

— Me desculpe.

Surpresa, ela arregalou os olhos ao voltar o lindo rosto para ele.

— Marcus?

— Pode me perdoar por ter sido um idiota?

Ele ficou feliz, muito feliz, ao ver os lábios carnudos dela esboçarem um sorriso.

— Não há nada para perdoar.

Ele ergueu as mãos dela até os lábios e beijou-lhe a palma da mão.

— Claro que há. E não vou fazer isso de novo.

Ele manteve a mão de Nicole no colo dele, puxando-a para mais perto de si. Estavam muito afastados dentro do carro dele. O lugar dela era no colo dele, enrolada em seu peito, onde ele pudesse lhe afagar os cabelos, onde pudesse protegê-la, onde ela pudesse relaxar e, durante um tempo, se esquecer de sua vida atribulada.

— Aquela noite, na boate, você não esperava por isso — ela disse suavemente. — Eu sou a única que deveria me desculpar por não ter sido direta com você desde o início. Deveria ter me desculpado muito tempo atrás por ter feito você acreditar que eu era uma garota comum.

— Você nunca poderia ser *uma garota comum*. E não tem nada a ver com o fato de ser famosa. — Ele apertou-lhe as mãos. — Você é muito especial, Nicole. Muito, muito especial.

Será que ele não sabia que não deveria dizer coisas desse tipo para ela, se não quisesse que caísse de quatro por ele? Sexo espetacular já tornava a situação complicada. Agora, ele estava dizendo o quanto ela era especial...

Preocupada que fosse dizer algo ainda mais carinhoso — e sabendo que a couraça que estava tentando colocar em seu coração não resistiria muito mais —, ela decidiu que estaria em território seguro falando sobre a família dele.

— Por falar em especial — ela disse —, adoraria que me contasse sobre seus irmãos. Só com três crianças na minha família já era uma loucura na casa onde cresci.

— Loucura é a palavra certa — ele concordou, ficando animado, assim como ficava toda vez que falava sobre a família dele.

Um dia, ele seria o pai mais espetacular do mundo. E marido também. Ela tentou ignorar aquele calor no peito diante desses pensamentos espontâneos, juntamente com o ciúme que tomou conta dela ao pensar na mulher sortuda que compartilharia essas coisas com ele. Todavia, de algum modo, mesmo ciente do ridículo ao sentir essas coisas por um homem que só conhecia havia três dias, nada disso mudava seus sentimentos.

— A Lori me disse que tem uma irmã gêmea. Elas são parecidas de verdade?

Marcus riu tanto disso que ela acrescentou:

— Vou considerar isso como um não.

Ainda rindo, ele disse:

— Os apelidos delas são *Mazinha* e *Boazinha*.

— E posso assumir que a Lori seja a *Mazinha*?

— E a *Boazinha*, também conhecida como Sophie, é uma bibliotecária quieta e de modos delicados.

— Elas se dão bem?

— Claro — ele concordou —, exceto quando estão brigando.

Ela conseguiu lembrar bastante do que havia lido sobre a vida de Smith ao longo dos anos e perguntou:

— Elas são as únicas meninas da família, não são?

— Sim.

— Deve ter sido um inferno quando a Lori e a Sophie começaram a namorar.

— Elas começaram a namorar?

Ele parecia tão sério que, por um segundo, ela quase acreditou nele. Rindo, ele disse:

— Quantos namorados em potencial você já teve para competir com elas?

— O suficiente para que elas pareçam freiras. — Ainda rindo, ela disse: — Me conte sobre seus irmãos.

Alguns minutos depois, a cabeça dela estava rodando, enquanto tomava conhecimento de que havia um bombeiro, um jogador de beisebol profissional, um astro de cinema, um fotógrafo e um especialista em carros, todos em uma família só.

— Vocês, garotos Sullivan, devem ter mantido sua mãe bem ocupada enquanto cresciam.

— Até hoje.

— Deve ter sido tão difícil ter tanta responsabilidade jogada em suas costas, ser apenas uma criança que não teve escolha a não ser assumir a tarefa do pai de cuidar de seus irmãos e irmãs.

Ela viu a expressão dele tarde demais para engolir as palavras. Ele parecia tão aberto enquanto falavam sobre sua família. Seus olhos não podiam esconder a dor que essas palavras trouxeram de volta.

— Perdão — ela disse suavemente, apertando a mão dele. — Foi bem insensível da minha parte. Mas é que sinto muito por você ter passado por tudo isso.

— Não, você está certa. Eu realmente senti que precisava assumir o lugar do meu pai. E eu queria isso. Queria ajudar.

— Como sua mãe lidou com isso?

— Ela sempre estava lá, à nossa disposição.

— Ela me pareceu fantástica — Nicole disse e, então, pensando em como teria se sentido no lugar da mãe dele, se tivesse perdido quem amava e com quem tinha uma família, perguntou: — Ela chorou muito?

— Tenho certeza de que sim, mas nunca vi.

Ela apertou a mão dele ainda mais forte.

— Você chorou muito?

Marcus ficou em silêncio por um momento.

— Lembra-se de quando me disse o quanto estava disposta a suportar a pressão da fama se isso significasse poder tocar sua música para as pessoas? — Quando ela assentiu, ele continuou: — Ter certeza de que minha família é feliz fez o sacrifício valer a pena.

— Você é que é especial — ela lhe disse, o coração derretendo-se por ele, por tudo que ele havia mantido para si durante tanto tempo e tudo o que precisara ser para tantas pessoas. Nicole tinha certeza de que essa era a razão de ele ser esse homem maravilhoso que era hoje... e, mesmo assim, gostaria que tudo houvesse sido mais fácil para ele. — Adoro o quanto você é ligado à sua família. Não conheço muita gente que sinta esse tipo de coisa.

— Família é muito importante para você também, não é?

— Muito.

Ela já lhe dissera o quanto adorava crianças. Agora, se pegou dizendo:

— Sempre quis uma família grande. Uma família como a sua, com muitos irmãos e irmãs que brigam e amam na mesma proporção.

— Como você planeja equilibrar carreira com filhos?

Nicole deu de ombros.

— Sempre acreditei que, se quero muito alguma coisa, então vou descobrir uma maneira de fazer tudo dar certo.

— E o que mais você quer, minha gatinha?

Ela deu um sorriso.

— Isto.

Ela inclinou-se e beijou-o forte e rápido, antes de deixá-lo voltar a dirigir para levá-los ao destino secreto.

Ele saiu da rodovia, entrando em uma estrada vicinal e, à medida que o terreno ficava cada vez mais acidentado, depois de tantos dias e meses dentro de estúdios e salas fechadas, ela ligou o rádio e achou uma música da qual gostava; deixou-se levar pela vontade de abrir a janela e colocar a cabeça para fora, ao sol e ao vento, como um cachorrinho feliz, enquanto cantarolava uma música do Bangles sobre "caminhar como um egípcio".

Marcus não soltou a mão dela nem por um minuto e, tomada de pura alegria, Nicole tentava absorver, degustar o incrível sabor de tudo aquilo.

Passaram por um obstáculo na estrada e Marcus a puxou de volta para dentro, o traseiro dela batendo no assento de couro com um

barulho abafado, e ela não conseguiu conter um ataque de riso. Quando Marcus começou a rir junto com ela, a alegria dele arrebatou-lhe a alma.

Quando começou a tocar uma música do Whitesnake, ela disse:

— Adoro estações que tocam músicas das antigas como essa.

— Músicas das antigas são dos anos cinquenta, não dos anos oitenta — Marcus argumentou.

Opa, ela pensou, percebendo tarde demais que, sem querer, havia chamado a atenção para a diferença de idade entre eles.

— Tem razão — ela respondeu alegremente, antes de desligar o rádio.

Momentos depois, ele estava parando no estacionamento de uma lojinha.

— Já volto.

Ele voltou com uma grande sacola térmica pendurada no ombro. Nicole quis perguntar o que havia lá dentro, mas ele parecia tanto um garotinho feliz escondendo um segredo que ela resolveu deixar para lá. Ela já o vira sério. Intenso. Sensual, é claro. E carinhoso. Mas essa alegria era uma nova característica maravilhosa.

Não levou muito tempo para que Marcus pegasse uma estradinha de terra estreita e esburacada, que exigia toda a concentração para conseguirem chegar inteiros até o final.

Ela imaginara que eles estivessem indo em direção à praia, mas isso não diminuiu a surpresa quando ele a ajudou a sair do carro, pendurou a bolsa pesada nos ombros e disse:

— Feche os olhos.

Havia apenas três dias ela tivera medo de confiar em alguém novamente. Mas confiar em Marcus era tão natural quanto respirar. Ela respirou fundo, fechou os olhos e ficou surpresa ao sentir que ele a levantava do chão.

Os olhos dela se abriram imediatamente e ela o viu sorrindo.

— Não precisa me carregar — ela obrigou-se a dizer, ainda que, verdade seja dita, estivesse feliz por estar de volta nos braços dele, por sentir o coração dele batendo contra o seu.

— Não quero que você tropece nos galhos — ele disse nos ouvidos dela. — Feche os olhos de novo.

Ela arrepiou-se diante do comando carinhoso dele, mesmo com um diabinho em seu ombro fazendo-a perguntar:

— E se eu não quiser?

O olhar dele era tão lascivo, tão cheio de sensualidade, que os lábios dela formigaram, embora ele não a tivesse beijado.

— Você realmente quer descobrir?

O cérebro dela gritava *Sim*, ainda que o medo das consequências eróticas a fizesse fechar os olhos como ele pedira.

Ele deu risada enquanto Nicole lançava os braços ao redor de seu pescoço e se acomodava mais junto dele. Todos os sentidos dela vieram à tona enquanto ele a carregava, firme e ininterruptamente, pelo caminho estreito entre os pinheiros altos. Ela podia ouvir os passarinhos cantando no alto das árvores; podia sentir o vento suave sobre sua pele, refrescando a quentura de onde Marcus a tocara.

— O ar tem um cheiro tão gostoso.

Em resposta, ele beijou-lhe a testa e, com os olhos ainda fechados, ela meneou a cabeça, colocou as mãos atrás do pescoço dele e puxou o rosto de Marcus para beijá-lo.

Dando um último beijo, ele disse:

— Se não prestar atenção, não vai ver mais nada além de árvores.

A voz baixa, rouca de desejo, deixou-a mais que tentada a fazer exatamente isso. Então, ele começou a andar de novo e ela deixou-se levar para o lugar que ele escolhera só para ela. Para eles.

O ar ao redor deles mudou de pinheiros pontiagudos para água salgada quando ele parou de andar e colocou-a no chão, devagar, as costas dela de frente para ele.

— Vá em frente. Abra os olhos.

Ela já havia passado muito tempo nas praias de Malibu nesses últimos anos trabalhando em Los Angeles... mas não estava preparada para a incrível visão que a esperava.

A água azul-esverdeada era tão vibrante que mal podia acreditar que era verdadeira, que não havia sido pintada só para eles. E o jeito como as ondas quebravam nos rochedos altos e ásperos, que se levantavam em ambos os lados daquela praia de areia fina e branca, fizeram-na lembrar de algumas partes da Nova Zelândia que ela havia conseguido visitar durante os shows que fizera por lá.

— Marcus — ela disse encantada —, isso é lindo!

Ele a abraçou forte.

— Fico feliz que ache isso.

Ela já ganhara arranjos de flores caríssimos, jantares sofisticados e até mesmo joias, mas só Marcus pensara em lhe dar a simples alegria de um dia na praia.

Ela tinha que virar-se, dizer a ele como se sentia, mais do que só em palavras. Beijou-o suave e lentamente e depois afirmou:

— Obrigada pelo melhor dia que já tive na vida!

O sol estava bem em cima deles e era quase meio-dia, mas ela já sabia que nada poderia estragar a alegria que sentia por estar sozinha com Marcus em uma das paisagens mais lindas do mundo.

Ele olhou para ela, os olhos escurecidos pelo desejo refletindo os de Nicole.

— Você já está com fome?

Ela tinha fome, porém não de comida. Tinha fome dele; fome de saborear cada uma das horas preciosas com o homem que estava roubando seu coração, um pedacinho de cada vez.

Ela balançou a cabeça e chutou fora as sapatilhas de balé.

— Ah! — Suspirou com prazer diante da areia morna escorregando entre os dedos dos pés. — Isso é tão bom!

Marcus sentara-se em uma pedra para tirar os sapatos e as meias e enrolar a barra da calça e Nicole ficou surpresa quando ele a puxou para o colo e a beijou. Do mesmo jeito abrupto, ele a soltou, deixando-a com as pernas bambas, e agarrou-lhe a mão para começarem a caminhar pela longa faixa de praia completamente erma.

— Você adora fazer isso, não é?

— Sim, adoro beijar você.

— Não — ela disse. — Você adora tirar meus pés do chão; me carregar, me puxar para beijar você toda vez que tem vontade. — Ela virou-se para ele com um olhar brincalhão. — Acho que combina com aquela história de me dizer o que fazer.

Marcus não soltou das mãos dela enquanto lhe acariciava o rosto.

— Você gosta disso também.

As palavras confiantes dele, a afirmação objetiva de que ela gostava de ser o brinquedinho dele para mexer e mandar do jeito que bem entendesse, deveriam tê-la irritado.

Mas ambos sabiam que não.

Subitamente sentindo-se em um barco que perdera a âncora e que aos poucos se afastava para o meio do oceano, Nicole finalmente colocou para fora a pergunta cuja resposta ainda não conseguira descobrir durante o tempo em que estavam juntos:

— Como um cara lindo, bem-sucedido e encantador como você chegou aos 36 anos sem uma esposa e filhos? — Nicole percebeu rapidamente que havia feito tudo errado quando ele ficou tenso ao lado dela. Então, acrescentou: — Quero dizer, considerando o quanto você é bom

de cama, era de se esperar uma fila de mulheres com vestidos de noiva batendo à sua porta o tempo todo.

Ele deu um sorrisinho.

— Pode me dizer exatamente o quanto sou bom de cama?

— Agora você só está querendo confete. — Ela riu e continuou: — Você é bom pra caramba.

As ondas quebraram maiores e mais altas que antes e Nicole fez um movimento para correr, mas Marcus não a deixou fugir da água fria que lhe alcançou os joelhos nus, embaixo da minissaia jeans.

— Está muito fria! — ela protestou.

— Gosto de ver você toda molhada.

— Você tem uma mente suja — ela respondeu, mas a falta de ar na voz dela denunciou que também tinha más intenções.

— Tem razão — ele disse, aquele olhar escuro e lascivo prendendo-a enquanto permanecia em pé na areia, fazendo a respiração dela parar na garganta. — Então, isto é o que minha mente suja quer, Nicole. Tire a roupa.

Ela olhou para os dois lados da praia vazia.

— Ficou louco?

— Só quando estou com você, minha gatinha. — Ele ergueu uma sobrancelha. — Estou esperando.

Ah, meu Deus, ela mal conseguia respirar só de pensar em tirar a roupa ali para Marcus.

— Se alguém aparecer... — ela começou antes de perceber: — Ninguém vai aparecer nesta praia, vai?

— Não — ele confirmou. — Ela é toda nossa hoje.

Ela já havia passado tempo suficiente com pessoas muito ricas, que tinham muito mais dinheiro que uma pop star como ela, para saber que era possível ter uma praia particular.

Nicole estava prestes a alcançar a parte de baixo da camiseta quando percebeu o que ele havia feito. Ela fizera uma pergunta pessoal e, em vez de respondê-la, ele havia saído pela culatra, usando seu próprio corpo e o desejo sem fim que tinha por ele contra ela.

Ela desceu as mãos até o quadril.

— Tenho uma proposta.

— Uma proposta?

Ela ergueu o queixo, feliz por notar o esboço de um sorriso no canto dos lábios dele diante de sua resposta desafiadora, e respondeu:

— Sim.

— Você tem uma bunda linda, Nicole. Estou ansioso para ver você de quatro na minha frente.

Surpreendentemente, ele não era o único.

Tentando expulsar a insensata visão erótica de sua cabeça, ela disse com a voz mais firme que conseguiu:

— Não fique mudando de assunto.

Foi premiada com o doce som da risada dele.

— Que gatinha mais brava! — Ele pegou-a pelos punhos antes que ela pudesse bater no peito dele. — Vamos lá, faça a proposta.

— Tiro minha roupa se responder à minha pergunta sobre o porquê de você ainda não ser casado e nem mesmo ter um relacionamento.

Os olhos dele escureceram tão rápido que ela quase chorou. E, mesmo sabendo que aquilo tudo era para ser sem compromisso, mesmo sabendo que não deveria estar saindo da zona de conforto na qual somente seus corpos estavam envolvidos, sabia que já era tarde demais.

— Minha namorada me traiu. Eu a peguei no flagra no mesmo dia em que fui àquela boate.

Ela percebera que as coisas não haviam corrido muito bem com a ex dele pelos comentários que fizera antes, mas não conseguiu evitar que seus olhos se arregalassem.

— *Ela* traiu *você*?

— Eu nunca pisei na bola com uma mulher.

— Não — ela disse rapidamente —, sei que nunca faria isso. Só não consigo entender por que uma mulher em sã consciência trairia você. Deve estar furioso com ela.

— Estava — ele admitiu —, mas então percebi que, na verdade, ela fez um grande favor a nós dois.

— Como?

— Não fomos feitos um para o outro.

Mesmo sabendo que a resposta poderia matá-la, tinha que perguntar:

—Você a amava?

— Eu achava que sim.

Ai. Não deveria doer pensar em Marcus apaixonado por outra pessoa, mas doía. Muito. E foi por isso que ela demorou mais tempo do que deveria para perceber que ele não dissera que amava sua ex.

— Espere aí, você achava que a amava? Isso é sim ou não?

Ele franziu a testa e balançou a cabeça.

— Não. Eu só amava a pessoa que queria que ela fosse. Mas não quem ela era realmente.

— Sei exatamente como é isso — ela comentou antes de se dar conta.

— Você sabe?

Com apenas duas palavras do homem mais carinhoso que já conhecera, os acontecimentos de seis meses atrás lhe voltaram à mente, e ela achou que, se falasse sobre Kenny, provavelmente acabaria chorando em cima de Marcus, parecendo uma completa idiota.

— Sei.

Ele tocou o queixo dela com a ponta dos dedos e a fez olhar para ele.

— Quem quer que seja, o que quer que tenha feito para você, tenho certeza de que foi o maior idiota do mundo.

As lágrimas que ela esperava não chorar acabaram escapando.

— Eu é que fui a maior idiota por acreditar nas mentiras dele.

— Não, Nicole — ele disse enquanto limpava as lágrimas com a ponta dos polegares. — Você nunca poderia ser nada além de inteligente, linda e absolutamente perfeita do jeito que é.

No momento seguinte, a boca de Marcus cobriu os lábios dela, fazendo-a esquecer de tudo, exceto de como era bom estar nos braços dele, do quanto estava tão incrivelmente feliz por ter ido à boate naquela noite para ajudá-lo a recuperar-se de seu término de relacionamento, pelo menos um pouquinho.

— Me ajude a tirar a roupa — ela murmurou contra os lábios dele.

Os olhos dele se iluminaram ao cobrir as mãos dela com as dele, puxando a camiseta juntos. Em seguida, tirou o sutiã e ele jogou ambos sobre a areia seca. A saia jeans e a calcinha também foram tiradas rapidamente e, então, ela estava em pé na frente dele, completamente nua.

E louca de tesão.

CAPÍTULO DEZESSEIS

— Você tem ideia do quanto é linda?

Os olhos mais lindos e mais sinceros do mundo olharam para ele.

— Só quando você está me olhando assim.

Marcus colocou as mãos no quadril dela e a puxou mais para perto enquanto seus lábios cobriam-lhe a boca, sem reservas. Nicole retribuiu o beijo com a mesma paixão, as mãos dela agarrando as roupas dele. Interrompendo aquele longo beijo só para tirar a camisa, eles voltaram a se beijar enquanto arrancavam a calça e a cueca de Marcus.

Com os lábios ainda sobre os dela, ele a carregou nos braços e entrou na arrebentação.

Uma onda quebrou sobre ele e Nicole arfou diante do frio.

— Você está maluco?

— Quando você está comigo desse jeito — ele respondeu —, acho que sim.

Ela o atacou com os lábios, dando beijos por todo o rosto, pescoço e ombros. Ele nunca estivera com uma pessoa tão autêntica, tão aberta à alegria... e com tanta vontade de compartilhar tudo com ele. As horas que passara com Nicole haviam sido as mais felizes de que conseguia se lembrar de ter passado com alguém.

Sim, ele dissera a verdade ao afirmar que não se arrependia dos sacrifícios que fizera em nome da família. No entanto, estava feliz por não precisar fazer essas coisas agora; assim, nesses últimos dias, poderia colocar Nicole — e seus sentimentos por ela — em primeiro lugar.

— Quero muito fazer amor com você aqui — ela disse enquanto lambia a ponta da orelha dele —, mas não temos nenhuma proteção.

Marcus teve que segurar a vontade de penetrá-la sem nada entre eles. Se isso fosse mais que só um fim de semana, eles poderiam fazer alguns exames e...

Não. Ele precisava concentrar-se naquele momento, no fato de que Nicole já havia lhe dado mais prazer em três dias que qualquer um poderia esperar em uma vida inteira. Ela deixara bem claro que não queria um relacionamento. Fora tão clara assim como ele próprio havia sido, na verdade.

E foi então que ele mostrou a ela o que estava segurando.

— Planejei antecipadamente.

Ela balançou a cabeça com um sorriso surpreso.

— Como você tirou isso do bolso e desembrulhou sem que eu percebesse? — Sem esperar pela resposta, ela tomou a camisinha dele. — Deixe pra lá. Me ponha no chão para que eu possa fazer as honras.

Sem ter certeza de que sobreviveria ao toque daquelas pequenas mãos quentes sobre ele, colocou Nicole de pé na água e avisou:

— Nem pense em ficar me provocando, gatinha.

Ela piscou os olhos, toda cheia de inocência sexy e más intenções.

— De que outro jeito eu vou saber se você vai cumprir sua palavra sobre todas aquelas ameaças de me dar uns tapas?

— Ah, eu vou cumprir minha palavra, pode ter certeza — ele respondeu, tentado a estapear aquele traseiro arredondado ali e naquele momento; então, a língua dela começou a roçar os lábios enquanto concentrava-se no pênis dele.

— Você é que é lindo — ela murmurou enquanto caía de joelhos e, antes de ele perceber, engoliu seu membro com aquela boca tão quente, molhada e perfeita, que ele quase gozou dentro dela.

Nossa, não podia acreditar que estava no mar com a mulher mais linda do planeta chupando seu pau no meio da quebra da onda. Este não era ele, não era o jeito como levava a vida, não fazia parte de seus planos.

Danem-se os planos, ele pensou enquanto passava as mãos sobre o cabelo dela e resolvia aceitar o que ela alegremente estava lhe oferecendo. Ele puxou-lhe os cabelos, enquanto ela o sugava com força. Durante todo o tempo, mesmo quando o prazer da boca de Nicole quase o levara ao limite, Marcus a observava cuidadosamente, para ter certeza de que não a estava machucando. A julgar pelos gemidos sensuais, Marcus pôde perceber que ela estava adorando ceder o controle da situação a ele.

Esperando até seu saco ficar retesado, apertado perto de seu corpo, Marcus saiu de dentro da boca de Nicole um segundo antes de gozar.

— Coloque a camisinha em mim, Nicole.

O olhar dela estava encoberto quando olhou para cima e piscou, mas ela obedeceu-o, as mãos tremendo.

Rangendo os dentes diante do vaivém das mãos dela sobre seu pau duro como pedra, ele maravilhou-se diante da entrega de Nicole enquanto faziam amor. Ele queria fazer jus à confiança que ela depositara nele, queria que soubesse que havia tomado a decisão certa.

— Venha aqui.

Ele esperou que ela tirasse as mãos de seu pênis e ficasse em pé na frente dele antes de dizer:

— Se segure em volta de mim.

Ela pulou para enrolar as pernas bem torneadas ao redor dele e ele não pôde deixar de confessar:

— Adoro segurar você desse jeito.

— Impossível adorar mais que eu — ela disse, tocando-lhe os lábios enquanto ele começava a caminhar mais para dentro da água fria. — Ai, meu Deus! — ela arfou quando a onda raspou-lhe a bunda. — Está muito fria. — Os olhos grandes de Nicole se levantaram rapidamente até os dele. — Vai ter que trabalhar muito para conseguir me esquentar.

— O plano é esse — ele disse. Então, enfiou a cabeça do pênis no meio de sua abertura molhada. — Como estou me saindo?

— Hummm, muito bem. Mas... — ela esticou um braço — ... ainda estou toda arrepiada.

Primeiro ele deu um beijo, depois uma meia dúzia, por todo o braço dela.

— Você está me fazendo ficar mais arrepiada ainda — ela disse com a voz rouca, e ele tirou a boca da pele macia dela.

— Talvez assim, então?

Os olhos deles se encontram e ele deu-lhe uma estocada forte.

— Ah! — Os cílios dela bateram diante do prazer de gozarem juntos. — Assim, bem assim... — As palavras se transformaram em uma arfada de prazer no momento em que ele mexeu o quadril para penetrá-la ainda mais fundo.

Estar com Nicole dessa maneira era tão natural, tão interminável quanto as marés. Não havia fluxo e refluxo no desejo por ela, somente uma arrebentação constante de necessidade e desejo que o enfeitiçava cada vez mais.

Segurando-se em Marcus, os olhos dela brilharam de emoção ao olhá-lo e, nesse momento, ele pôde sentir a ligação perigosa, mais que dois corpos gozando juntos, o sol iluminando a beleza estonteante e o tom dourado da pele macia de Nicole.

Apesar de todas as suas exigências sexuais, Marcus sabia exatamente quem estava no controle. Nicole o conquistara naquele primeiro momento na boate, quando olhara em seus olhos e tomara posse dele.

A princípio, ela havia possuído seu corpo. No entanto, Marcus tivera certeza de que seu coração — assim como sua alma — estaria a salvo. Tivera certeza de que nenhuma mulher jamais poderia tocá-lo.

Mas, então, por que estar com ela desse jeito mexia tanto com ele, como nunca acontecera antes?

Enquanto seus corpos refestelavam-se em um prazer jamais visto, Marcus perguntou-se, desarmado, em que momento fazer sexo quente com essa linda pop star havia se transformado em fazer amor, em uma praia sob um sol que parecia estar brilhando só para eles?

CAPÍTULO DEZESSETE

Rindo juntos enquanto colocavam novamente as roupas sobre os corpos molhados, caminharam de mãos dadas pela praia até sentarem-se sobre a areia macia e pilharem o conteúdo da sacola que Marcus trouxera da lojinha de esquina de Point Reyes.

Nicole adorava estar com Marcus desse jeito, dividindo a refeição e sentados juntos, as pernas tocando-se enquanto, entre uma mordida e outra, trocavam beijos. Ela estava verdadeiramente encantada ao descobrir que esse piquenique era, de alguma forma, ainda mais íntimo — e assustador — do que fora fazer amor no mar.

Enquanto ele a segurava, enlouquecendo-a com seus beijos e carícias, ela chegara tão perto, quase só a um beijo de distância, de colocar para fora o que estava crescendo profundamente dentro de seu coração. Mas, agora, achava que não seria necessário mais que dois dos lindos sorrisos dele para que ela chegasse ao limite, muito perto da garota sem vínculos se tornar uma daquelas fulanas sobre as quais havia feito piada antes, usando vestidos de casamento e batendo à porta dele.

Por algum motivo, apesar de ela estar tendo o melhor dia de sua vida, apesar do quanto ele fora meigo dizendo que seu ex não a merecia, ela precisava se lembrar de manter o controle de seu coração, sempre.

— Então — ela perguntou ao cortar outro pedaço de pão e molhá-lo no homus de pimenta vermelha —, como você sabia deste lugar?

— Esta era a praia favorita do meu pai.

Ela seguiu o olhar dele pela praia até um pequeno chalé incrustado nas rochas.

— O melhor amigo dele da faculdade era dono daquela casa e deste pedaço da praia. — Uma sombra passou pelo rosto dele enquanto dizia: — O Joe morreu poucos anos atrás. No testamento dele, deixou esse lugar para minha mãe e disse a ela que as melhores lembranças dele eram de todos nós, ainda crianças, brincando na praia. E que esperava que nossos netos um dia pudessem brincar daquele jeito também.

Nicole precisava chegar mais perto de Marcus, precisava pegar nas

mãos dele e segurá-las perto do coração, como se pudesse trocar de lugar com ele se isso significasse tirar toda a dor com a qual ele tivera que lidar ainda tão jovem.

— Me conte um pouco sobre seu pai.

— Ele era ótimo. Não havia um só dia em que não dissesse o quanto nos amava, o quanto era feliz por ter a todos nós. Mesmo quando estávamos brigando, gritando ou xingando, ele ficava de fora e nos deixava resolver tudo, até chegarmos a um ponto sem volta.

— E o que ele fazia?

Ela ficou feliz ao vê-lo rir suavemente.

— Ele entrava no quarto e dizia: "Já chega".

— Era isso?

Ele olhou para ela com uma expressão contorcida.

— Ele entrava com calma, mas carregava uma vareta enorme.

— Parece muito com você.

— Eu costumava achar que sim.

Ela meneou a cabeça.

— O que quer dizer? Não acha que vai ser um ótimo pai?

— Eu achava que sim. Mas agora já passei dessa fase de esposa e filhos.

Não havia motivo nenhum para essa revelação deixá-la chateada. Entretanto, o fato de a pop star que ele estava comendo nunca poder ser levada em consideração para aquele papel a fez sentir-se — pela primeira vez desde que o conhecera — uma qualquer.

A dor inesperada que lhe cortou o peito deixou-a vulnerável o suficiente para chamar a atenção dele sobre o que acabara de dizer:

— Então, só porque uma vagabunda que estava namorando trai você, isso é motivo suficiente para desistir de ter uma família?

Os olhos dele deram um sinal de aviso que ela preferiu ignorar. Que inferno, o buraco que estava cavando já estava tão grande que dava para se enterrar nele. Por que parar agora? Especialmente se ela nunca mais o veria quando a segunda-feira de manhã chegasse? No mínimo, poderia tentar ajudar... mesmo contra a vontade de Marcus.

Sim, ela pensou, fazê-lo enxergar isso era uma coisa absolutamente altruísta. Não tinha nada a ver com o fato de tê-la magoado ou de ela querer dar o troco.

— Tudo o que quero dizer é: já passou pela sua cabeça que talvez tenha escolhido uma vagabunda qualquer para namorar para que, na verdade, não tivesse que se casar e começar uma família? Assim, não correria o risco de perder a mulher que ama, a mãe de seus filhos, como sua mãe perdeu seu pai? Sabe como é: assim, poderia usar sua ex como a razão para se esconder do amor? — Ela deu de ombros, tentando parecer indiferente. — Que merda! É por isso que você provavelmente me escolheu, também. Porque é mais fácil dormir com uma cantora totalmente inadequada com quem não há a menor chance de ter um futuro.

O silêncio ficou pesado, quase frio, depois de ela ter terminado a análise ponto a ponto da vida dele. De repente, percebeu que nunca vira Marcus olhando para ela daquele jeito.

Ele estava furioso.

Furioso por ela ter lhe dito o que pensava.

Por fim, ele disse:

— E você? — Os olhos dele se estreitaram. Seu maxilar se apertou. — Você poderia ter qualquer um, Nicole. Então, por que namorou um mentiroso vagabundo que você provavelmente sabia que acabaria machucando você? É por essa mesma razão que precisa fingir essa imagem de mulher sexy? A mesma razão pela qual se esconde atrás de seu corpo e de seu rosto lindo em vez de deixar as pessoas verem o quanto você é

inteligente? E não é por isso que você também me escolheu, porque eu sou divertimento só para algumas noites, quando ambos sabemos que você nunca consideraria, em um milhão de anos, ficar com um cara chato e mais velho, que usa terno?

Ela não esperava que ele retrucasse com esse tipo de comentário, nem com qualquer coisa perto disso, e tentou se desvencilhar das mãos das dele, mas Marcus segurou as dela rapidamente.

— Você não tem o direito de me dizer essas coisas.

— Não jogue pedras se a porcaria da sua própria casa tiver teto de vidro, gatinha.

Ah, Deus, odiava ouvi-lo usar esse apelido carinhoso agora, quando estava tão furioso com ela.

— Para mim, parece que é você a especialista em se esconder — ele disse em uma voz baixa e firme. — Você se esconde da mídia. Esconde o quanto é inteligente e talentosa. Mesmo entre quatro paredes, o último lugar onde deveria tentar se esconder do seu amante, tive que apertar todos os botões para que você derrubasse suas barreiras por um só maldito segundo.

Nicole compreendera que as palavras dela o irritaram tanto que, na verdade, Marcus agora estava tentando se livrar dela. Mas saber disso não lhe diminuiu a dor; pelo contrário, só piorou.

Ela arrancou as mãos das mãos dele e ficou em pé na areia.

— Ótimo! Você não quer que eu me esconda mais, então, que tal eu parar agora mesmo?

Ele ficou em pé, encarando-a.

— Duvido.

No auge da discussão, ela desabafou:

— Que tal eu encarar o fato de que ainda sou a maior idiota do mundo por acreditar que poderíamos fazer isso aqui sem criar vínculos? Que tal dizer que sabia que não devia me apaixonar por um cara que nunca ia me querer para nada além de duas noites de sexo selvagem? — A respiração dela estava ofegante e a visão, borrada pelas lágrimas que caíam enquanto ela gritava. — Que tal isso para alguém tão inteligente?

Nicole precisou se afastar dele; não poderia deixá-lo vê-la chorando. Não agora que estava tudo acabado e que seu dia perfeito havia sido reduzido a pó.

E não agora, depois que lhe confessara todos os sentimentos tão abertamente que com certeza ele nunca sentiria o mesmo por ela.

Não que algum dia ele já tivesse sentido alguma coisa.

— Preciso ir embora — ela disse em uma voz contida. — Minha equipe vai estar me esperando no local do show para a checagem do som, logo, logo. Não posso me atrasar como me atrasei ontem.

Ela foi em direção ao caminho entre os pinheiros que a levaria de volta ao carro dele. No mar, apesar da água fria rodopiando ao redor deles, ela sentira-se tão quente nos braços dele.

Porém, agora, mesmo com o sol quente batendo em suas costas, ela jamais se sentira tão gelada.

Não foi só o choque de tomar conhecimento do profundo sentimento dela por ele que fez Marcus ficar tonto.

Foi o fato de ele estar ali falando sobre a necessidade de ela mesma parar de tratar-se apenas como um símbolo sexual, quando fora exatamente isso o que ele fizera o tempo todo. Como se ela fosse só uma boa bunda para ser traçada... no entanto, quando Nicole de fato usou a cabeça para observar a vida dele e analisar as decisões que tomara, ele descontou tudo em cima dela.

Jogando tudo dentro da bolsa de piquenique, ele passou rapidamente pelas árvores para encontrá-la esperando no carro. Com as costas retas e as mãos sobre o colo, ela olhava fixamente para a frente quando ele entrou e sentou atrás do volante.

— Sinto muito.

Ele queria alcançar a mão dela, mas sabia como ela reagiria, sabia que a última coisa que ela queria era ser tocada por ele. A ironia de tudo era que a única coisa que ela não queria, agora, era aquilo de que ele mais precisava: reconectar-se com ela, mesmo que fosse dessa maneira tão pequena.

— Sinto muito também.

Marcus ficou surpreso ao ouvi-la dizer essas palavras. Ele planejara dizer tantas coisas mais, precisara tanto fazê-la saber o quanto ele errara em magoá-la desse jeito, que não percebera o quanto a morte do pai era um assunto delicado para ele.

Entretanto, quando os olhos dela, inexpressivos e vazios, encontraram os dele, soube que já era tarde.

— Não deveria ter pressionado você para ficarmos juntos esses dias a mais.

Ele pensou ter visto o brilho de lágrimas nos olhos dela, mas, quando olhou novamente, estavam claros. E tão inexpressivos que as entranhas dele doeram ao lembrar-se da paixão e da alegria que haviam compartilhado alguns minutos antes.

— Você estava certo em querer terminar as coisas na primeira noite. — A boca de Nicole levantou-se nos cantos em algo que não se poderia chamar de sorriso. — Aprendi a lição. Transas de uma noite só devem fazer jus ao número contido na denominação.

Marcus sempre fora o Sullivan equilibrado, o que sabia agir em qualquer situação. No entanto, desde o primeiro momento com Nicole, saíra completamente de seu padrão. Agora, mais que nunca. Mas, mesmo ciente, desde o início, de que o relacionamento deles terminaria em um futuro muito próximo, odiava a ideia de que terminasse assim.

— Você nunca foi uma pop star para mim, Nicole. Sempre foi só você mesma, uma mulher que eu desejei e de quem gostei desde o começo. Se em algum momento tratei você como nada além de um símbolo sexual, sinto muito, de verdade.

Ela permaneceu em silêncio por alguns longos segundos. Por fim, disse:

— Muito gentil de sua parte dizer isso.

Ele esperou por mais, esperou-a dizer que o considerava mais que um cara de terno que sabia fazê-la gritar de prazer ao gozar, mas Nicole simplesmente pegou o celular da bolsa e olhou a hora.

— Quanto tempo demora para chegarmos ao Warfield?

De repente, Marcus viu-se pedindo rendição na tentativa de fazê-la ouvir suas desculpas, mas ela não estava nem um pouco disposta a render-se.

Ele já não passara dois anos inteiros se rendendo a Jill, desdobrando-se para fazê-la feliz? E olhe só o que havia acontecido. Se fora muito chato ou muito frio com Jill, então, com certeza, um dia, mesmo que ele e Nicole achassem uma maneira de consertar as coisas hoje, ela certamente acabaria se enchendo dele também... e, quem sabe, ele teria o extremo desprazer de pegá-la transando com algum cara fantástico, com piercings e cavanhaque, e saberia que havia sido, de novo, um tolo.

— Mais ou menos uma hora.

— Espero que não tenha muito trânsito. Se puder pegar algum atalho, agradeço.

Como a situação pudera se transformar nisso tão rápido? De fazer amor no mar a estarem sentados no carro com Nicole falando com ele como se fosse um estranho?

Mas o orgulho de Marcus não lhe permitiria implorar pelo perdão dela de novo. Ele tentara. Ela o afastara.

Estava tudo acabado entre eles.

— Não se preocupe — respondeu com uma voz tão distante quanto a dela. — Vou fazer com que esteja lá no horário.

CAPÍTULO DEZOITO

Graças a Deus que já fizera mil shows como este, Nicole pensou enquanto checava o som e fazia piadas com sua banda. Ela podia até estar sorrindo, rindo, mas sentia-se oca. Vazia.

E muito, muito triste.

As coisas que Marcus lhe dissera ficavam martelando em sua cabeça, tão alto que ela acabara se esquecendo da letra de uma das músicas, precisara parar no meio e, com uma piada, pedira desculpas à banda, fingindo não ver o modo como olhavam para ela, e uns para os outros, com perguntas nos olhos.

Um escorregão. Nicole estava a um passo de as pessoas imaginarem noitadas, drogas e festas cheias de loucura.

Obviamente ela não se ajudava mostrando aquela imagem de doida em seus clipes, as roupas que usava nos palcos, o fato de se deixar fotografar com pessoas cuja imagem pessoal realmente condizia com o comportamento, não era só fruto da imaginação.

Era exatamente como Marcus lhe dissera na praia, quando estavam trocando tiros, furiosos.

Ela sabia que isso era, em grande parte, o motivo por estar tão zangada. Talvez se houvesse respirado fundo, poderia ter admitido para ele

— para ambos — que estava cansada daquela imagem de símbolo sexual. Que pensava cada vez mais em por que se sentia tão incomodada com aquilo. E que gostaria que sua música falasse por si só.

Só a força de sua música, tudo ou nada, sem a promessa silenciosa de sexo para vendê-la ao mundo.

Mas ela não havia respirado fundo, havia?

Em vez disso, trocara os pés pelas mãos e, em um impulso, fizera a confissão mais estúpida e idiota de toda a sua vida.

Ela dissera a Marcus que estava se apaixonando por ele.

Não.

Ela havia *gritado* isso para ele.

Obviamente, ele não dissera nada sobre amor. Nem na praia... nem depois, no carro.

Ela sentou-se no camarim, montado pelo gerente do show de acordo com as especificações de Nicole para tornar o espaço confortável e aconchegante durante algumas horas, e olhou fixamente para o grande espelho com fileiras de luzes brilhando. As luzes eram muito brilhantes, evidenciando todas as partes da alma que ela não queria ver.

Verdade seja dita, Marcus voltara para o carro e imediatamente pedira desculpas. Entretanto, Nicole tivera muito medo de ouvir os motivos da desculpa dele. Ficara apavorada com a possibilidade de que ele fosse dizer: *Sinto muito que esteja apaixonada por mim, gatinha. Essa nunca foi minha intenção.*

Ela desviou-se do espelho, incapaz de olhar-se nos olhos por mais tempo.

Um coração partido era, supostamente, a inspiração perfeita para escrever músicas. Ela deveria pegar seu violão e escrever uma obra de arte, canalizando o lado Joni Mitchell dentro dela, cantando sobre os barbitúricos e as anfetaminas sem as quais não podia viver.

Mas não conseguia fazer isso. Pelo menos, não naquela noite. Não quando tudo ainda estava muito à flor da pele, quando ainda sentia-se tão idiota, tão dolorosamente tola por ter entregado o coração tão rápido, tão completamente, para um homem que sabia, desde o início, não ser um bom parceiro para ela.

Uma noite era realmente tudo o que deveriam ter compartilhado.

No entanto, enquanto sentava-se no camarim sentindo pena de si mesma, era como se a guitarra e o espelho estivessem do outro lado da sala, chamando-a de covarde.

Eles estavam certos.

Ela estava sendo covarde.

Havia muito tempo.

Finalmente, Nicole respirou fundo, como deveria ter feito na praia. E mais uma vez, e outra, até sentir-se forte o bastante para tomar a decisão certa.

Ignorando as roupas vulgares e brilhantes que o estilista lhe dera para usar no palco, roupas para dançar e provocar, ela saiu da cadeira, pegou a guitarra e voltou-se para encarar o espelho.

A mulher que a olhou de volta não parecia a pop star cheia de maquiagem, calça de seda justa e brilhante e lycra. Pela primeira vez na vida, Nick parecia-se com Nicole, uma garota jovem, linda, com 20 e poucos anos, vestindo uma saia jeans e uma camiseta, que havia escrito algumas músicas que gostaria de tocar para as pessoas.

Finalmente, Nicole deu um sorrisinho.

Tudo ou nada, esta noite seria a noite na qual daria seu primeiro passo em direção ao novo futuro.

E, mesmo não tendo Marcus a seu lado, pelo menos sabia que teria que agradecer a ele por ajudá-la a dar o empurrão na direção certa.

Ele não a amava. Contudo, sempre deixara claro que a respeitava.

Esta noite, ela também se respeitaria.

Segurando a guitarra junto ao corpo como se fosse um amante — sabendo ser o único amante que teria por muito tempo —, Nicole saiu no corredor e foi ao encontro do líder da banda para discutir a mudança de planos.

—m—

Havia poucas horas, Marcus dissera à irmã que não poderia ir ao show de Nicole com ela, que naquela noite tinha planos que não podiam ser cancelados. A última coisa de que precisava era sentar-se ao lado de Lori para ver Nicole no palco.

Ele planejara voltar para a vinícola em Napa, voltar à sua vida normal onde celebridades meigas e sedutoras não tinham nada a ver com seu mundo, a não ser que viessem até a vinícola com um grupo e pedissem para fazer um tour. Ele acabara de passar pela placa de "Seja bem-vindo a Napa Valley", que saudava os visitantes a essa famosa região do mundo, quando fez um retorno abrupto e dirigiu cem quilômetros de volta à cidade, tão rápido quanto o tráfego de sábado lhe permitia.

Ele simplesmente não conseguia ficar longe dela. Não resistia à oportunidade de estar no mesmo ambiente que Nicole por mais algumas horas.

Então, ele não só havia mentido descaradamente para uma de suas irmãs, como também, apesar da história de estar muito ocupado para ir ao show, aqui estava ele do lado de fora do Warfield, em São Francisco, olhando para uma placa que dizia: CONVIDADA ESPECIAL SÓ POR UMA NOITE: NICK!

Em seu carro, na praia, o orgulho lhe dissera que estaria melhor sem ela, que precisava terminar as coisas antes que ela terminasse tudo e destruísse o coração dele.

Foda-se o orgulho.

A lembrança do modo como ela saíra de seu carro em frente ao local do show naquela tarde o perseguira cada segundo desde então.

Foi um prazer conhecer você, fora o que ela dissera.

O que diabo ele deveria responder? Que também fora um prazer conhecê-la, como se fossem nada mais que dois parceiros de negócios?

Deveria ter sido gentil com ela, seu único objetivo deveria ser fazê-la ouvir as desculpas dele, mas, em vez disso, ele apenas murmurara o nome dela.

Os olhos de Nicole olharam para ele durante um breve segundo antes de ela pegar o celular e avisar sua equipe que estava do lado de fora. Momentos depois, ela desaparecera pelas portas, trancadas atrás dela não só para evitar que os fãs a perturbassem antes do show, mas também o cara olhando fixamente para ela atrás do volante do carro.

— Ei, cara, quer ingressos para o show? A Nick geralmente toca em lugares muito maiores e este aqui esgotou em 20 minutos. Vai demorar para ter outra chance de vê-la assim tão perto.

As palavras do cambista fizeram suas entranhas se retorcerem ainda mais, enquanto Marcus olhava para o ingresso. Era por isso que estava aqui, não era? Para ver Nicole mais uma vez, para degustá-la, mesmo que a distância, pois já estava morrendo de saudades.

Ele estivera perto dela, tão perto. E não lhe dera o devido valor, esperando pela segunda-feira, pelo fim inevitável.

Marcus comprou o ingresso e ficou surpreso ao ver que o público não era só de crianças e adolescentes, mas também de universitários e de mais algumas pessoas da mesma idade que ele, que obviamente não estavam ali como acompanhantes de fãs mais jovens, mas porque queriam ver Nicole tocar.

Ao sentar-se, Marcus ouviu duas adolescentes falando dela.

— Ouvi dizer que o cara que ela estava namorando aprontou com ela. Você sabe, deixou-a drogada e então tirou um monte de fotos e as vendeu.

— Ele parecia bem esquisitão, não parecia?

— Totalmente. Fico pensando por que ela namorava esse cara. Se eu fosse alguém como a Nick, só ficaria com o cara mais lindo do mundo, que me idolatrasse.

A conversa mudou para os garotos que elas paqueravam, que não sabiam nem que elas existiam, e Marcus afastou-se para processar o que acabara de saber.

Na praia, ela havia dado uma noção de ter sido traída e magoada por um ex-amante. E já havia dito a ele que tomara algumas decisões erradas, que haviam lhe dado aquela imagem de baladeira doida.

Marcus sabia que seria tão fácil usar a internet em seu telefone e descobrir o resto da história, mas lembrou-se do quanto ela ficara reticente quando ele descobrira quem ela era, como ela presumira que ele fizera uma pesquisa sobre ela no Google.

O que quer que fosse saber do passado dela, tinha que ouvir diretamente de Nicole.

Isto é, se ela algum dia fosse conversar com ele de novo.

E por que ela iria?, ele se perguntou enquanto as luzes diminuíram e a multidão começava a gritar. Ele podia não estar pesquisando sobre ela na internet, mas estava sentado ali como um perseguidor horripilante, esperando para vê-la se apresentar, sem que ela soubesse.

Será que o ex dela havia feito coisa pior?

Marcus sabia que deveria se levantar e ir embora. Contudo, quando o assunto envolvia Nicole, ele não tinha nenhum tipo de autocontrole.

Por mais que houvessem tentado manter o relacionamento só como sexo, não fora assim. Nem perto disso. A música era uma grande parte de quem Nicole era, e ele tinha que ver, tinha que entender, tinha que conhecer essa parte dela tanto quanto os contornos daquele corpo maravilhoso.

As luzes do palco foram se acendendo pouco a pouco e todo mundo ficou de pé quando Nicole entrou no palco. A respiração de Marcus parou ao ver o quanto ela parecia pequena embaixo das luzes brilhantes, mas, apesar disso, ela dominava tudo — e todos.

Ficou surpreso ao ver que ela ainda estava usando camiseta e saia. Das imagens dela que ele lembrava ter visto quando passeava pelos canais a cabo de música com o controle remoto, imaginara que ela fosse usar uma daquelas roupas vulgares, as roupas que faziam parte do show e compunham aquela imagem de símbolo sexual que ele destruíra poucas horas antes.

— Oi, gente!

As duas enormes telas, uma de cada lado do palco, mostravam o sorriso de Nicole para ele. Ela parecia forte, mas ao mesmo tempo um pouco nervosa. Ele pensou ter visto vestígios de tristeza nos olhos dela, porém, também havia muita empolgação.

O que ela estava fazendo?

Então, de repente, ele soube, mesmo antes de ela dizer ou fazer alguma coisa: sua linda garota estava tomando o controle da situação.

— Estou muito feliz por vocês passarem esta noite comigo. A Fundação dos Músicos pela Alfabetização é muito importante para mim.

Uma voz gritou:

— Nós amamos você, Nick!

Ela riu.

— Eu amo vocês também!

As palavras saíram tão facilmente da boca de Nicole que ele soube que ela realmente sentia aquilo. Os fãs eram muito importantes para ela. Ela não desperdiçava a chance de tocar sua música para tanta gente.

— Esta noite estou a fim de tocar meu violão e meu piano e ficar só no acústico por um tempo. Tudo bem para vocês?

Cinco mil vozes gritaram e o sorriso dela iluminou o ambiente escuro.

— Maravilha!

Ela tirou o violão do suporte e o passou por cima dos ombros. Marcus pensou o quanto aquilo combinava com ela.

De repente, ele percebeu o erro que havia cometido na praia. Ela não estava se escondendo totalmente, só parcialmente. Porque, na verdade, ela era a gata sexy dos clipes e também essa linda garota, cuja voz soava pura e forte enquanto dedilhava o violão e destruía o coração da plateia com a mágica simples de suas canções.

As pessoas sentaram-se, não por não estarem empolgadas com a música, mas porque queriam ouvir mais de perto, ouvir melhor cada nota e cada nuance da apresentação dela. Uma apresentação que enfeitiçou a todos.

Entre uma música e outra, ela encantou a todos contando as histórias por trás de sua inspiração para as letras das músicas e fez todo mundo rir. E, então, quando se sentou ao piano sob o holofote e começou a tocar a música que Marcus ouvira no ensaio do clipe — *Foi apenas um momento, um olhar nos seus olhos, um toque nos seus lábios, pra saber que é você* — ela entregou totalmente o coração à plateia.

Um coração para cuidar... ou destruir.

E, enquanto assistia, enquanto ouvia, enquanto seu coração — e sua alma — se inebriavam dela em meio a um espaço cheio de estranhos, Marcus sabia que era o homem mais idiota do mundo.

A mulher que ele acusara de esconder-se era mais corajosa que qualquer pessoa que já conhecera.

Muito mais corajosa que ele mesmo.

Se Marcus já não houvesse encarado o fato de que estava totalmente apaixonado por Nicole, teria se apaixonado naquele momento... juntamente com outras cinco mil pessoas dentro daquele espaço totalmente lotado em São Francisco.

CAPÍTULO DEZENOVE

Os aplausos continuavam após seu terceiro e último bis e Nicole caminhou rapidamente pelo corredor até o camarim. Ela precisava de alguns segundos sozinha antes ir para a área onde se encontraria com os fãs que pagaram um extra para a instituição de caridade pelo privilégio de tirar uma foto e conversar com ela.

Sua equipe já estava com ela havia tempo suficiente para entender essa necessidade, e, apesar de sorrirem e fazerem o sinal de positivo, eles deixavam-na passar sem dizer nada.

Ela fechou a porta e encostou-se, finalmente soltando a respiração que sentia ter segurado por duas horas.

Havia conseguido; havia ficado no palco a noite toda só com o violão e o piano e sua voz para guiá-la. Deus, aquilo fora incrível, apesar da surpresa ao perceber que uma parte dela havia sentido falta das luzes, dos flashes e da dança.

Tudo ou nada; era assim que sempre sentia que as coisas deveriam ser. Será que estivera errada o tempo todo? E, se sim, seria possível descobrir como percorrer a linha tênue entre os flashes e o coração sem perder sua base de fãs e sem abrir mão da carreira que havia batalhado tanto para construir?

— Nick. — Houve uma batida na porta. Era Jimmy, o guarda-costas que costumava trabalhar em seus shows.

Ela respirou fundo e abriu a porta com um sorriso.

— Oi.

Jimmy franziu o cenho.

— Desculpe por incomodar você.

— Alguma coisa errada?

— Só vim dizer que tem um cara aqui fora que parece não aceitar não como resposta. Quer vir aqui e ver você.

O estômago dela se revirou e, em seguida, o coração também.

— Talvez seja só um universitário que bebeu demais — ela disse, mesmo sabendo que não era isso.

— Não — Jimmy confirmou. — É um cara mais velho. Diferente dos tipos que costumam me enganar dizendo que conhecem você. Parece um executivo.

Ai, meu Deus. Marcus estava lá fora. Será que sabia que ela procurara por ele no meio da multidão a noite toda? Que cada homem de ombros largos a fazia congelar, mas nenhum deles era ele? Por fim, ela convencera-se de que ele não estava lá. Mas, na verdade, ele havia assistido ao show e agora queria vir atrás dos bastidores para vê-la.

No entanto, nesse estado, tendo entregado até o último pedaço de sua alma destruída à plateia, ela sabia exatamente o que faria assim que o visse: imploraria para que ele a aceitasse de volta. Mesmo que só por uma hora, se é que ele poderia suportá-la por tanto tempo. E, quando o dia nascesse, ela se odiaria por não ter conseguido manter o orgulho com relação a Marcus.

Ela balançou a cabeça e começou a responder:

— Não posso...

Jimmy assentiu.

— Não se preocupe. Não vou deixá-lo vir até aqui. Só queria ter certeza de que não iria embora sozinha esta noite, caso ele resolva esperar por você escondido no escuro. Eu levo você de volta ao hotel.

Ela concordou.

— Ok. — Tentou esboçar um sorriso de agradecimento, mas não conseguiu. — Agradeço por me avisar sobre a situação.

Ele sorriu gentilmente.

— Você foi fantástica esta noite. Deixou todo mundo extasiado.

As lágrimas chegaram bem perto dos cílios e ela disse:

— Obrigada, fico feliz por você ter gostado do show. — Ela gesticulou em direção ao camarim. — Só preciso de alguns minutos e então vou sair para conhecer e cumprimentar as pessoas.

— Vou avisá-las que você já está a caminho.

Ela fechou a porta novamente com um barulho baixinho, colocando a mão sobre o coração. Só de pensar em Marcus lá fora na porta do palco, o coração já batia tão rápido, disparado. Marcus estava tão perto...

Não. Ela precisava parar de pensar nele, precisava continuar seu trabalho.

Nicole nem ousou olhar-se no espelho; não queria ver os próprios olhos assustados quando pegou uma garrafa de água e saiu para cumprimentar os fãs. Aquela noite era sobre eles, sobre a generosidade deles para com uma entidade que merecia receber as doações. Nicole não deixaria que seu coração estupidamente partido ficasse no caminho.

Trinta minutos depois, suas bochechas doíam de tanto sorrir, mas ela queria abraçar cada um dos fãs, pois, durante alguns minutos, sentira-se quase normal, quase como antes de Marcus aparecer em sua vida e segurá-la com tanto carinho.

Antes de ele beijá-la, tocá-la.

Antes de ter mostrado a ela algo mais bonito — e, ao final, muito mais doloroso — do que ela jamais imaginara.

Antes do amor.

— Ai, meu Deus, você estava fantástica! — Lori atravessou a multidão para jogar os braços em volta de Nicole.

Ela estava feliz por ver Lori, claro que sim, mas a ligação com Marcus era próxima demais para deixá-la à vontade, e Nicole teve que esforçar-se ainda mais para transformar sua expressão em um sorriso.

— Obrigada — ela respondeu, imaginando se Lori sabia que seu irmão estava lá. — Eu me diverti muito esta noite.

— Queria que o Marcus tivesse vindo. Você teria seu mais novo fã de carteirinha.

Nicole mal conseguiu segurar o sorriso. Se ele fosse qualquer outro homem, talvez ela se deixasse confidenciar com Lori sobre como havia entregado completamente seu coração. Uma boa conversa de mulher para mulher era tudo de que precisava; alguém com quem beber vários copos de vinho enquanto falavam mal dos homens.

Em vez disso, ela disse:

— Adorei ter passado um tempo com você nesta semana.

A irmã de Marcus franziu o cenho.

— Você só vai embora na segunda-feira, né? — Diante da confirmação de Nicole, Lori disse: — Uma vez por mês, todo o clã se reúne para o almoço de domingo na casa da minha mãe. Por favor, venha ficar com a gente. Você já conhece o Marcus, mas sei como todo mundo adoraria conhecer você depois que passei a semana toda dizendo aos quatro cantos o quanto você é fantástica.

— Uau, isso seria ótimo — Nicole respondeu, sem querer ser chata e estragar a amizade recusando a gentileza de Lori —, mas não posso me infiltrar em um evento de família.

Sem entender a hesitação de Nicole, Lori volveu:

— Nós todos entendemos essa coisa da fama por causa do Smith. Prometo que todo mundo vai ser totalmente normal. Além do que... — ela disse com um brilho de cupido nos olhos — ... mal posso esperar para que conheça e se apaixone por um dos meus irmãos. Já falei do Gabe para você? Ele é bombeiro e minhas amigas sempre me dizem que ele é um gato.

Tudo saíra do controle tão rapidamente que Nicole mal conseguiu forçar uma piada.

— Quem neste mundo seria capaz de resistir a um bombeiro?

Lori a abraçou de novo.

— Vou mandar uma mensagem de texto com o endereço. Sei que está ocupada, então vou deixar o restante dos seus adorados fãs ficarem um pouco com você. Até amanhã!

Talvez, Nicole pensou enquanto um grupo de garotas animadas gritava ao conhecê-la, esse almoço fosse a melhor coisa a acontecer. Ela já fora corajosa o suficiente para começar a mudar sua imagem, naquela noite já dera o primeiro passo para parar de esconder-se atrás de sua imagem de símbolo sexual.

Mas não deixar que Marcus a visse nos bastidores do show não havia sido muito corajoso da parte dela.

Amanhã, no *brunch* de domingo, ela teria que encará-lo novamente. Ela provaria para ambos que era capaz de segurar a onda, que era adulta, forte o suficiente para parar de se esconder e colocar de lado quaisquer ressentimentos que ainda pudessem existir.

Isso deixaria os dois livres para seguirem com suas vidas; os poucos dias que passaram juntos, nos braços um do outro, seriam nada além de uma lembrança distante.

Mesmo assim, Nicole sabia que não dormiria direito esta noite. Como poderia, quando sua cabeça estaria ocupada analisando seu relacionamento com Marcus sob todos os ângulos, mesmo que já soubesse da resposta?

Terminar tudo fora a melhor coisa para os dois. Sim, poderiam tê-lo feito de uma maneira mais branda e agradável, mas, pelo menos, não estavam se enganando, achando que, de fato, poderiam ter um relacionamento.

Ele seria tão mais feliz sem ela.

E ela, um dia, aprenderia a viver infeliz sem ele.

CAPÍTULO VINTE

Marcus tivera uma noite horrível. Depois de dirigir até Napa, após o show, sentara-se na varanda e ficara olhando fixamente para a escuridão até o sol raiar. Não tentara dormir nenhuma vez, nem mesmo quando as visões de Nicole já começavam a assombrá-lo.

A noite toda ele se fizera a mesma pergunta: como poderia consertar os erros que havia cometido com ela? Tudo o que havia feito para magoá-la, afastá-la, mantê-la a distância, para que pudesse resguardar seu coração, veio à tona enquanto a lua cedia lugar ao sol.

Aquela manhã, na cozinha de Smith, quando ela pedira para passar outra noite com ele e ele a magoara dizendo não, dizendo que fora um erro ter saído da boate com ela.

Aquela noite, quando descobrira quem era Nicole, ele havia não só ficado furioso por ela ter mantido segredo sobre isso e terem que usar a entrada privativa do hotel, mas também decidira que essas duas coisas lhe davam o direito de, egocentricamente, usar o corpo dela além do limite.

A maneira como, na manhã seguinte, fizera Nicole implorar para que passassem mais tempo juntos, quando um homem de verdade teria sido fiel aos próprios sentimentos e poupado a moça da dor de outra possível rejeição.

A dor nos olhos dela na praia, quando havia gritado e dito o quanto era estúpida por estar se apaixonando por ele... e ele não tivera a coragem de admitir que estava se apaixonando por ela também.

Todo o corpo de Marcus ficava duro e tenso à medida que reconhecia cada um de seus erros.

Pela primeira vez na vida, as vinhas que se espalhavam pelas colinas não lhe pareciam belas. Não depois de ter a mulher mais linda do mundo nos braços... e ter sido burro demais para perceber que precisava fazer qualquer coisa e tudo o que estava a seu alcance para convencê-la a deixar que ele a amasse do jeito que ela deveria ser amada.

Ainda bem que o guarda-costas de Nicole não o deixara entrar naquela noite, dizendo-lhe com firmeza:

— Me desculpe, cara, ela está ocupada. Você não vai poder vê-la.

Marcus não estivera pensando direito e, certamente, teria piorado as coisas.

Infelizmente, após uma longa noite pensando, ainda não havia bolado um plano com alguma chance de dar certo. Ele sabia que não podia consertar com flores e joias o que havia se quebrado entre eles.

Não tinha vontade para nada. Colocou uma calça jeans limpa e uma camiseta para o almoço de domingo de sua mãe, mesmo sabendo que corria o risco de comentarem sobre o fato de ele, claramente, não estar em um de seus melhores dias. Família era assim mesmo; eles estavam sempre lá para comemorar as coisas boas... e para chamar a atenção quando ele fazia bobagem. Se Lori soubesse o que havia acontecido com Nicole, ela lhe daria um chute no traseiro tão forte, que ele ficaria com a marca do pé dela pela próxima década.

Marcus abriu a porta da frente da casa da mãe e entrou. Smith estava andando pela sala com duas cervejas na mão.

— Nossa, você está um lixo.

— Bom ver você também — Marcus respondeu. Sendo os mais próximos em idade entre todos os irmãos, quando crianças os dois tiveram muitas brigas. — Não sabia que você estava na cidade.

Smith passou uma cerveja para ele.

— Precisamos filmar de novo algumas cenas na cidade esta semana. Achei melhor vir um dia mais cedo e ver todo mundo. — Ele ergueu uma sobrancelha. — Fiquei surpreso com sua mensagem de texto no começo da semana. Então, quer dizer que a Jill não está mais na área? Caso contrário, você não precisaria usar minha casa.

— Isso mesmo, ela já era.

Smith riu.

— Que bom. — O sorriso de Smith se alargou. — Então, conte sobre a nova garota. Depois de dois anos com a rainha do gelo, espero que a substituta seja muito quente. Contanto que você tenha trocado os lençóis depois que terminaram...

Não havia motivo para Marcus querer arrancar alguns dentes daquele rosto de astro de cinema de Smith. Seu irmão não tinha como saber que ele estava, sem querer, ofendendo Nicole.

— Não precisei trocar os lençóis. — Era tudo o que pretendia comentar sobre aquilo.

Antes que o irmão o abordasse com mais perguntas, Marcus saiu em direção ao quintal dos fundos, onde, com tempo bom, havia sempre uma grande mesa posta para o *brunch*. A voz de Smith chegou até ele antes que Marcus passasse pelas grandes portas de vidro:

— Temos uma convidada especial lá fora. A Lori disse que você já conhece a Nick. Uma garota maravilhosa, não é?

Puta merda. A garrafa de cerveja escorregou da mão de Marcus e ele se remexeu para não deixá-la cair.

Marcus estava dividido entre caminhar até a mesa onde Nicole estava rodeada pelos irmãos e tirá-la dali, trancá-la dentro do quarto mais próximo e fazer o que fosse necessário para que ela o ouvisse, ou dar meia--volta e desaparecer dali.

Ele sabia que precisava vê-la de novo, sabia que precisava ajoelhar-se diante dela e pedir perdão... mas será que conseguiria fazer isso diante da família inteira?

Marcus ainda não havia nem percorrido o espaço entre a sala e o pátio quando sua mãe foi até ele, em uma linha reta. Os braços dela estavam mornos no momento em que o abraçou e disse em voz baixa:

— Ela é um amor.

Ele não teve tempo de fazer qualquer outra cara que não fosse de pura surpresa.

O sorriso de sua mãe era doce e compreensivo.

— Fico feliz por ter mais do que alguns minutos para conversar com a Nicole hoje. Aquela ligação inesperada naquela noite foi curta demais para dar tempo de conhecê-la.

Puta que pariu. Como poderia ter se esquecido da ligação que fizeram para sua mãe quando saíram da boate?

Diante do silêncio embasbacado dele, a mãe continuou:

— Tenho que admitir que fiquei surpresa quando ela chegou com a Lori em vez de você. — Ela arqueou uma sobrancelha. — E estou ainda mais surpresa que ninguém, nem mesmo sua irmã, que trabalha com ela, pareça saber sobre vocês dois.

Ninguém conseguia tirar informações dos filhos melhor que sua mãe. Entre as especialidades dela estavam as perguntas que sutilmente prendiam a pessoa, para depois forçá-la a colocar tudo para fora, mesmo tendo jurado manter silêncio sobre o assunto para sempre.

— Não estamos exatamente juntos agora. — Não estava quente lá fora; no entanto, Marcus suava. — Eu estraguei tudo.

A mãe observou-o cuidadosamente antes de esboçar um sorriso.

— Esperei por isso por muitos anos, esperei aparecer alguém que você amasse mais que sua família, alguém que pudesse virar você do avesso e tirá-lo dos trilhos. — A mãe dele parecia verdadeiramente feliz diante da tristeza dele. — Alguém como a Nicole, com quem você pudesse estragar tudo.

Estupefato, Marcus viu a mãe sair com um sorriso no rosto quando Lori gritou:

— Marcus, você está aqui!

Finalmente, começou a andar de novo e foi em direção ao grupo no meio do quintal.

Meia dúzia de vozes chegaram até ele, mas tudo o que Marcus conseguia ver era Gabe sentado bem perto de Nicole. Ele conhecia o tipo de seu irmão e Nicole era exatamente o tipo de mulher que Gabe e os outros caras do Corpo de Bombeiros gostavam de levar para casa à noite.

— Gabe — ele disse —, precisam de você na cozinha.

Seu irmão pareceu duvidar. Gabe era conhecido por deixar a cozinha como se houvesse passado um tornado. Felizmente, empurrou a cadeira para trás e começou a se levantar, mas, antes disso, inclinou-se para dizer alguma coisa no ouvido de Nicole. Ela riu e Marcus cerrou os punhos.

Que inferno, ele praticamente criara Gabe desde bebê. Não deveria querer matá-lo só porque fizera Nicole rir e por tê-la olhado um pouco demais, com interesse demais.

Por sorte, antes que Marcus pulasse no meio do quintal para nocautear seu irmão mais novo, Chloe entrou para cumprimentá-lo com um abraço.

— Parece que não vejo você há uma eternidade!

Chase veio logo atrás da noiva.

— Estamos pensando em visitar você na vinícola logo, logo — Chase disse a ele, puxando Chloe mais para perto.

Os dois haviam se apaixonado na vinícola e Marcus ficara impressionado ao ver seu irmão mergulhar de cabeça na mulher que acabara de conhecer. Nunca fora capaz de entender como algo tão grandioso podia acontecer tão rápido.

Mas, agora, podia entender perfeitamente.

— Podem vir quando quiserem. A casa de hóspedes é sempre de vocês. Já faz muito tempo.

Ele realmente sentia o que estava dizendo, mas podia ouvir o quanto suas palavras soavam artificiais, até mesmo em seus próprios ouvidos.

Zach falava ao celular do outro lado do quintal, Ryan estava na churrasqueira virando os hambúrgueres, enquanto Sophie e Lori estavam, de novo, em lados opostos da mesa. Elas vinham se estranhando havia meses.

Era sempre Marcus quem punha fim às brigas entre as gêmeas, obrigando-as a se sentarem e conversarem. Se esse fosse um *brunch* de domingo como os outros, ele teria puxado as duas pelos rabos de cavalo e feito exatamente isso.

Mas hoje ele não conseguia se concentrar em mais nada além de Nicole, mal conseguia colocar um pé na frente do outro ou conversar sem parecer um idiota completo. Agora que se permitira olhá-la, não conseguia tirar os olhos dela. Ela estava tão linda, tão perfeita, sentada no quintal onde ele havia crescido.

— Oi.

Ela piscou, visivelmente tensa.

— Oi, Marcus. Bom ver você de novo.

Deus, ele odiava que ela parecesse tão distante. Do mesmo jeito que havia sido quando ela lhe dissera que fora um prazer conhecê-lo e depois fora embora.

Sem nem notar o clima entre eles, Lori explicou animadamente:

— O Marcus veio nos visitar no ensaio uns dois dias atrás. — Ela bateu a mão no assento de Gabe. — Sente-se aqui.

Marcus não sabia como seria sentar-se tão perto de Nicole sem tocá-la, sem puxá-la para o colo dele, onde era o lugar dela. No entanto, não podia simplesmente continuar em pé com a família toda a olhá-lo, como se houvesse ficado louco.

Ao dar a volta na mesa, sentiu que se movia em câmera lenta. Os olhos de Nicole se arregalavam conforme ele se aproximava e não tirava os olhos dela. Ele sentou-se e, quando a coxa dele roçou a dela, ela deu um pulo da cadeira.

— Vou ver se sua mãe precisa de alguma ajuda na cozinha.

Lori ficou radiante depois que Nicole saiu com pressa.

— Ela não é um amor? Acho que ela e o Gabe estão se entendendo.

Smith balançou a cabeça.

— Acho que não, Lori.

Lori franziu o cenho.

— Como assim? Um pouco mais cedo eles estavam se paquerando e agora ela está usando a mamãe como uma desculpa para ficar mais tempo com ele na cozinha.

— Marcus, você tem alguma teoria sobre o motivo de ela ter saído com tanta pressa?

Ele deu um longo gole na cerveja. Ou fazia isso ou socava Smith do outro lado da mesa. Ou iria lá dentro e daria uma surra em Gabe por estar flertando com a mulher dele.

Ele se daria por satisfeito em brigar com todos os seus irmãos agora se isso significasse poder passar por cima da frustração que tomava conta dele por estar tão perto de Nicole sem, de fato, estar em posição de dizer a ela como se sentia, como estava arrependido por ter estragado tudo.

Obviamente, Smith havia juntado dois mais dois. E ele não parecia gostar muito da ideia de ver Marcus saindo com Nicole.

Smith podia ir se foder.

Por sorte, Lori ainda não fazia a mínima ideia. Ele não achou que Chase e Chloe já houvessem ligado Nicole a ele, mas os dois ainda pareciam preocupados com Marcus.

Sophia era a única com quem podia conversar em território seguro.

— Como está indo o novo projeto no trabalho, Boazinha?

Ela fez uma careta.

— Não me chame assim na frente da nossa convidada. Vai me deixar envergonhada. Eu tenho nome, sabia?

— Qual é? — Zach brincou, chegando, sentando-se e guardando o celular no bolso. — Acho que lembro que o nome começa com uma letra mais para o fim do alfabeto.

Ela socou o braço de Zach antes de responder à pergunta de Marcus sobre seu último projeto de pesquisa na Biblioteca de São Francisco:

— Me ajudem a lembrar por que achei que seria uma ótima ideia angariar fundos para fazer uma bibliografia das maiores histórias de amor de todos os tempos. — Sophie suspirou. — Achei que fosse ser tão romântico.

Claramente surpresa, Chloe comentou:

— Como as histórias de amor podem não ser românticas?

— Bom, a maioria das histórias de amor são completamente trágicas, para dizer a verdade.

— Ah, você quer dizer tipo Romeu e Julieta?

Sophie assentiu.

— A esta altura, eu simplesmente resolvi nunca me apaixonar mais. Não se a morte e a traição estiverem me esperando do outro lado do arco-íris.

Marcus estava atrasado uma semana para a epifania de Sophie. Especialmente porque tinha uma premonição de que cada segundo que passava sem conseguir conversar com Nicole como deveria os colocava cada vez mais perto de se tornarem uma dessas histórias de amor com final trágico.

Como ele imaginara que faria, Lori argumentou com a gêmea simplesmente mais pelo prazer de argumentar do que por querer ter razão sobre esse assunto em particular.

— Você é que é trágica — Lori disse. E então: — Aposto que ignora todas as grandes histórias de amor, como *Orgulho e Preconceito*.

Sophie olhou com cara feia para a irmã.

— Até onde eu sei, o jeito como as coisas terminaram naquela história não passou de pura sorte. — A cara feia de Sophie transformou-se em um sorriso para Chase e Chloe. — Como aconteceu com vocês dois. Não consigo acreditar que se conheceram à beira da estrada em Napa e que agora vão se casar. É tão lindo.

— Está ouvindo isso? — Chase disse para sua noiva, perplexo. — Nosso relacionamento não passa de pura sorte.

— Se ter o pior dia da minha vida transformando-se no melhor dia foi pura sorte, estou aceitando — Chloe respondeu suavemente.

Todos sabiam sobre o primeiro casamento dela, o quanto havia sido ruim, que seu ex batera nela e que precisara fugir. Marcus sabia que, comparativamente, não tinha nada de que reclamar.

Mesmo assim, ele claramente ficara tão perturbado com o que acontecera com Jill que destruíra completamente uma coisa fantástica com Nicole.

Sophie respirou melancolicamente enquanto Chase beijava a noiva.

— E você, Marcus? Tem alguma novidade?

Nicole veio caminhando pelo quintal com uma grande bandeja de legumes cortados e molho no momento em que Sophie perguntava a Marcus sobre as novidades da vida dele. Ainda bem que estava usando sapatilhas, do contrário certamente teria tropeçado e a comida teria se espalhado pelo gramado cuidadosamente cortado. De algum modo, ela conseguiu continuar andando em direção à mesa.

— Nos últimos dias, andei passando um tempo na cidade.

— Verdade? Por que não foi até a biblioteca?

Neste momento, Marcus tirou o olhar de Sophie e olhou para Nicole e o que ela viu nos olhos dele a fez entrar em pânico. Ai, Deus, ele não estava prestes a contar tudo, estava?

Ela balançou a cabeça para ele, como um sinal silencioso que ela rezou para que ele entendesse.

Nós não temos mais nada, lembra? Nada!

Ele não quisera contar a ninguém sobre ela enquanto estavam juntos; assim como ela, quisera esconder o relacionamento temporário deles durante essa semana. Não havia razão para estragar tudo agora, só porque era incômodo estar no mesmo lugar por algumas horas, depois que a história sem vínculos havia terminado mal.

Por fim, ele disse:

— Eu tive umas coisas inesperadas para resolver em São Francisco.

— Aposto que sim — Smith murmurou, lançando um olhar para Nicole.

Smith fora absolutamente gentil — na verdade, estivera flertando descaradamente com ela — até Marcus chegar. Desde então, toda vez que ela olhava, Smith franzia o cenho para ela. Ah, não. Será que ele descobrira que ela era a mulher que Marcus levara à casa dele aquela noite?

Até agora, ela achara que a única pessoa que sabia sobre eles era a mãe de Marcus. Nicole estivera estupidamente nervosa ao finalmente conhecer Mary. Por sorte, a mãe dele era tão fantástica pessoalmente quanto ao telefone. E, por incrível que pareça, ela não levantara o assunto sobre Marcus nem sobre o óbvio caso deles, de nenhuma maneira.

— É um prazer finalmente conhecer você, Nicole. — E então dera as boas-vindas a ela, como se fosse parte da família.

No entanto, agora, enquanto Nicole ruminava o fato de Smith ter descoberto tudo, podia sentir seu rosto pegando fogo ao colocar a bandeja sobre a mesa.

— Ainda tem mais coisa para trazer da cozinha — ela disse, querendo escapar de novo.

Infelizmente, Lori protestou:

— De jeito nenhum. Você é nossa convidada, precisa sentar. Eu vou ajudar a mamãe.

O coração de Nicole bateu disparado — a ponto de explodir — quando olhou para o assento vazio ao lado de Marcus, sabendo que seria muito esquisito sentar-se em outro lugar. O problema era que estava com tanto medo de se entregar, sem querer, tão preocupada que pudesse perder o controle e tocá-lo... ou, pior ainda, sucumbir ao enorme desejo de beijá-lo na frente da família toda.

Todos estavam sendo tão gentis com ela até agora, mas, se soubessem que ela tivera um caso com o irmão que amavam e respeitavam tanto, o irmão mais velho que fizera tudo por eles, nunca a perdoariam por entrar na vida dele dessa maneira.

E nunca a perdoariam por tê-lo magoado.

— Vá mais para lá, minha linda — Ryan disse a ela ao trazer um prato cheio de hambúrgueres e cachorros-quentes fumegantes.

Antes que pudesse acomodar-se na cadeira dela, Marcus resmungou:

— Cuidado, Ryan.

O irmão franziu o cenho para ele, claramente sem a menor ideia sobre qual era o problema. No entanto, Nicole percebeu instantaneamente que Marcus não gostava que seu irmão, jogador de beisebol profissional, flertasse com ela ou a chamasse de linda.

Se não estivesse tão focada em Marcus, teria sido muito difícil concentrar-se perto de tantos homens maravilhosos em uma mesma família. Tecnicamente, seu cérebro lhe dizia que Zach era o mais bonito de todos, com Smith logo atrás, enquanto todos os outros também eram igualmente lindos de morrer.

Mas, para ela, não interessava o quanto a aparência deles fosse perfeita. Marcus superava todos eles, e Nicole mal conseguia tirar os olhos dele, mesmo sabendo que essa era uma delação escancarada de seus sentimentos.

Graças a Deus, a mãe deles apareceu neste exato momento, juntamente com Lori e Gabe. Os três colocaram o restante da comida sobre a mesa e, por alguns minutos, todos se concentraram em servir os pratos.

Todos, exceto Marcus... e ela.

— Posso lhe oferecer alguma coisa?

Era a primeira coisa que ele dizia a ela hoje, tirando o rápido "Oi" de quando havia chegado. E, mesmo só lhe perguntando se preferia hambúrguer ou cachorro-quente, o corpo dela — e o coração — reagiu como se ele houvesse dito as palavras mais sensuais e íntimas do mundo.

Ah, como sentiria saudade do calor de sua voz baixa e levemente rouca quando a segurava, quando lhe acariciava os cabelos.

Quando fazia amor com ela.

A pele de Nicole esquentou, suas entranhas revirando-se por estar ao lado dele.

— Um cachorro-quente, obrigada.

Contudo, ele não alcançou a comida. Em vez disso, pegou na mão dela embaixo da toalha de mesa.

Durante um longo momento — tempo demais se ela quisesse manter em segredo o relacionamento deles —, ela perdeu-se nos olhos dele, na doce carícia do dedo dele na palma da mão dela.

Precisou reunir todas as forças que ainda lhe restavam depois de uma noite sozinha e sem dormir para balbuciar um *Não.* Puxa vida, Marcus merecia uma vida ótima, não o circo que presenciaria caso ficasse com ela.

Ela reforçou a pequena palavra puxando a mão e pegando alguma comida. Esperava que ninguém notasse o tremor incontrolável de sua mão.

Assim que todos estavam servidos e começaram a comer, a mãe de Marcus disse:

— Estamos muito felizes por você estar conosco hoje, Nicole.

Se alguém achou estranho a mãe não chamá-la de Nick, eram todos educados demais para não mencionarem.

— Espero que todos tenham se comportado bem enquanto eu estava lá dentro — ela acrescentou.

— Todos foram ótimos. — Percebendo que estava resmungando, ela forçou-se a se sentar com as costas retas e a sorrir para Mary. — Não vejo minha família tanto quanto gostaria. Sinto falta de almoços de domingo como este.

Enquanto Mary perguntava sobre a família dela e ela os fazia rir com as histórias sobre as peças que ela e os irmãos gêmeos pregavam uns nos outros quando eram crianças, Nicole quase conseguiu relaxar.

O problema era que ela estava plenamente consciente de que nem Marcus nem Smith estavam rindo com os outros. Não demorou muito para todos perceberem que alguma coisa estava acontecendo.

— Marcus? — Lori perguntou. — Você não está comendo e não parece muito bem. — Ela torceu o nariz e disse: — Na verdade, nem consigo me lembrar da última vez em que não fez a barba. Está tudo bem?

— Não — Marcus respondeu. — Não estou bem.

Seis rostos — Chloe e todos os irmãos, exceto Smith — ficaram paralisados de choque. Claramente, esta era a primeira vez que o todo-poderoso irmão mais velho admitia ter um problema na frente deles.

Nicole agradeceu por não ter dado mais que duas mordidas em seu cachorro-quente, pois teria vomitado tudo sobre a linda toalha de mesa. Será que ele estava prestes a fazer o que parecia querer fazer?

Ok, os dois realmente tinham mais algumas coisas a dizer um ao outro. Mas não na frente de toda a família.

Marcus acabara de voltar o rosto para ela e estava prestes a dizer-lhe alguma coisa quando, de repente, Smith ficou em pé.

— Tem uma coisa que gostaria de mostrar a você na garagem, Marcus.

— Estamos no meio do almoço — Mary protestou, mas não havia nenhum ressentimento por trás das palavras dela. Na verdade, ela parecia estranhamente satisfeita com o rumo que as coisas haviam tomado.

— Perdão, mas não dá para esperar. — Smith ficou em pé e seguiu em direção à casa. — O Marcus precisa ver isso agora mesmo.

Por um momento, Nicole não achou que Marcus fosse segui-lo. E, então, resmungando um palavrão, ele jogou o guardanapo sobre a mesa e empurrou a cadeira para trás.

Nicole achou que a mãe fosse ficar irritada diante da maneira como a refeição estava se desmantelando. Em vez disso, ela simplesmente arqueou as sobrancelhas para os outros filhos e disse com uma voz suave:

— Podem ir. Sei que vocês estão morrendo de vontade de ver também.

Momentos depois, Nicole se viu sentada sozinha com as mulheres.

— Homens da família Sullivan. — Mary sorriu para ela. — Eles são uma coisa de louco, não são?

A compreensão nos olhos de Mary quase fez Nicole quebrar-se ao meio, e, independentemente do que acontecesse aqui hoje, ela precisava que a mãe de Marcus soubesse:

— Você tem uma família linda.

— Sei disso, querida. Estou muito feliz por você estar conosco hoje.

E, surpreendentemente, apesar de aquele almoço ter sido uma luta desde o momento em que entrara pela porta, Nicole percebeu que ela também estava feliz. Pois não havia se apaixonado só por Marcus... também se apaixonara por toda a família dele.

CAPÍTULO VINTE E UM

— Que diabo está acontecendo com vocês? — Gabe perguntou enquanto ele e Zach entravam na garagem, com Chase e Ryan seguindo logo atrás.

— O Marcus está comendo nossa linda convidada.

Marcus agarrou a camisa de Smith.

— Cuidado com o que diz, seu cuzão! Se falar dela desse jeito de novo garanto que só vai fazer filmes de horror daqui pra frente!

— Opa — Gabe o interrompeu, colocando-se entre os dois irmãos. — Espere um segundo.

Marcus estava prestes a soltar Smith quando este disse:

— O que você está fazendo com alguém como ela? Ela não é muito jovem e um tanto piranha para você?

Um segundo depois, Marcus dava o primeiro soco. Os dois conseguiram dar uns bons golpes antes que Zach e Gabe, juntos, conseguissem separá-los.

— Você não sabe porcaria nenhuma sobre ela!

— E está querendo me dizer que você sabe? Além do quanto ela é boa de cama, quero dizer.

— Eu avisei você — Marcus rosnou.

Smith manteve as mãos para cima e deu um passo para trás:

— Olhe aqui, não estou tentando tirar você do sério. Só estou tentando colocar juízo na sua cabeça.

— Alto lá — Zach disse. — Alguém me dê a versão resumida do que diabo está acontecendo aqui!

Todos os olhos se voltaram para Marcus e ele cuspiu as palavras:

— Nicole e eu nos conhecemos depois da festa de noivado. A princípio eu não sabia quem ela era.

Gabe assobiou, suave e longamente.

— Só o velho Sullivan para não reconhecer uma pop star famosa. E, então, quando descobriu?

— Quando a Lori me convidou para ir ao estúdio de dança no dia seguinte, para o ensaio. — Ele passou as mãos sobre o rosto. — Achei

que a Nicole fosse uma das bailarinas.

— Você é um idiota.

Zach estava certo. Marcus era um idiota. Que merda estava fazendo na garagem com seus irmãos quando Nicole estava lá fora no quintal com sua mãe e suas irmãs? Ele prometera que da próxima vez que a visse consertaria as coisas. Em vez disso, só fizera piorar tudo.

— Preciso ir conversar com ela — ele disse, mas Smith agarrou o braço dele com toda força.

— Você faz ideia de como vai ser namorá-la?

— Não estou nem aí para a fama dela.

— É fácil dizer isso agora — Smith disse —, mas e quando vocês tentarem sair pela quinquagésima vez? Vocês vão achar que estão conversando em particular, falando de uvas ou música ou sei lá sobre o que vocês dois conversam, e alguém vai tirar uma foto em que parece que estão brigando. Quando menos esperar, uma manchete vai dizer que você não conseguiu suportar, que eram muito diferentes desde o início. São até capazes de colocarem uma citação de alguma amiga anônima dizendo que Nicole sempre soube que vocês não dariam certo. Você vai querer confiar nela quando disser que isso não é verdade, que não disse nada a ninguém, mas vai começar a se perguntar se ela realmente disse ou não.

Isso era o máximo que Smith jamais dissera para qualquer um deles sobre o revés da fama, mas Marcus não estava nem aí para o quanto a vida era difícil para seu irmão absurdamente famoso. Tudo o que importava era o quanto magoara Nicole, sendo tão descuidado com o coração dela.

— Sei que acha que está ajudando, mas isso tem a ver com a Nicole e comigo, não com vocês nem com o resto do mundo.

No entanto, Smith não saía da frente dele.

— Escute o que estou dizendo; eu entendo, ela provavelmente é muito boa de cama.

Marcus foi para cima dele de novo, mas Smith manteve sua posição, apesar das mãos de Marcus estarem no pescoço dele.

— Mas, para um cara como você, que gosta de vinhos caros, da paz e do silêncio dos vinhedos, toda essa porcariada da fama vai deixar você maluco. Bem rápido. — Smith franziu o cenho. — O que eu não entendo é como ainda não saiu nenhuma foto de vocês!

Marcus, abruptamente, tirou as mãos do pescoço de Smith e torceu para que houvessem deixado uma marca bem forte.

— Temos sido cuidadosos — ele disse entredentes.

— Quer dizer que estão se escondendo nos cantos? Está vendo, já está tudo errado, cara. — Smith gesticulou para os irmãos. — Entendemos que a Jill acabou se saindo uma piranha gelada e a Nick seja uma volta por cima quentíssima, por sinal, uma bela de uma volta por cima, mano, mas a vida dela é muito errática para um cara tão objetivo como você.

Ryan concordou:

— Odeio dizer isso, mas ele está certo, Marcus. A imprensa vai deixar você louco. Mesmo só jogando beisebol, eles não saem da minha cola.

Para surpresa de todos, Chase assentiu.

— Ela parece fantástica, muito mais meiga e inocente do que pensei que seria depois de algumas coisas que ouvi sobre ela. — Olhou para Marcus com firmeza. — Mas não ajuda muito que ela tenha cara de quem acabou de sair do Ensino Médio. Todo mundo vai achar que você não passa de um velho tarado e asqueroso.

Gabe interrompeu-os e disse:

— Esperem aí. Você está apaixonado pela Nick?

— O nome dela é Nicole. — Marcus retrucou ao irmão mais novo.

E não era Gabe quem precisava saber se ele estava ou não apaixonado por Nicole. Nenhum de seus malditos irmãos precisava ouvir essas palavras.

A única pessoa que precisava saber exatamente quais eram os sentimentos dele por ela estava sentada no quintal da casa de sua mãe, achando que ele não a amava.

Tudo por ter sido um babaca e não ter assumido seus sentimentos.

— Saiam da minha frente — ele rosnou para seus cinco irmãos.

Ninguém disse mais nada; apenas abriram caminho para Marcus passar.

— Meu Deus — Zach disse quando Marcus os deixou parados na garagem, boquiabertos. — Não posso acreditar que nós seis estávamos aqui conversando sobre amor e relacionamentos, como um bando de garotas.

— Pelo menos, tentei colocar algum juízo na cabeça dele — Smith disse enquanto os outros o seguiam em fila indiana. Ele deu de ombros. — Mas, já que claramente ele está louco por ela, é melhor conseguirmos bons lugares para o espetáculo.

—Nicole, não posso mais fazer isso.

Com uma expressão tensa no rosto bonito, ela parou de conversar com as mulheres e olhou para cima.

Marcus sabia que ela não queria que falasse sobre o relacionamento deles na frente da família toda, mas ele não podia mais fingir que não a conhecia. Não podia mais fingir que não a amava. E, com certeza, não podia mais ouvir Smith falar sobre ela com tanto desprezo, como se ela não fosse nada além de um belo traseiro.

Marcus queria que todos a vissem da forma como ele a via: uma mulher de negócios inteligente, focada e uma artista brilhante.

E daí que ela não se encaixava no mundo dele e ele não se encaixava no dela?

Como poderia desistir dela?

Ela balançava a cabeça, os olhos desesperados enquanto, silenciosamente, pedia a ele que parasse de falar. Mas ele não podia parar agora, sabia que precisava colocar tudo para fora antes que outro segundo passasse e ela continuasse a pensar que ele não a amava.

Ele caminhou até ela e a puxou da cadeira.

— Não, Marcus. — Ela olhava desesperada para a família dele, agora toda reunida nas cadeiras ao redor da mesa, os rostos grudados no vidro invisível. Conhecendo-os, Marcus sabia que todos gostariam de ter um pacote de pipoca para apreciar melhor o espetáculo. No entanto, ele não se importava. Nada importava além de Nicole.

E o fato de que ele a perderia se não fizesse alguma coisa rápido.

— Não faça isso, por favor, não.

Talvez, se houvesse dormido pelo menos cinco minutos, houvesse sido capaz de ver o quanto ela estava séria, que uma declaração era a última coisa que ela queria agora. Mas, neste momento, tudo o que Marcus sabia era como se sentia bem ao tocá-la, ao estar perto dela.

— Amo você.

Ela se afastou dele e teria tropeçado na raiz de uma árvore na grama se ele não houvesse segurando suas mãos.

— Por favor, não faça isso. Não aqui. Não agora.

As palavras dela eram praticamente um suspiro, mas o quintal estava tão assustadoramente silencioso, sem nem mesmo um passarinho chilreando ou uma brisa sobrando pelas árvores, que todos a ouviram suplicar em alto e bom som.

— Deveria ter lhe falado antes. Fui um idiota por deixar você ir embora, por deixar que acreditasse que não amava você.

Nicole tentava puxar as mãos e era óbvio que tudo o que queria era fugir dali. Entretanto, ele não podia deixá-la ir embora, não sem fazê-la admitir o que existia entre eles.

Marcus sabia que havia milhões de maneiras de fazer isso de um jeito melhor, mas neste momento não restava nada a fazer a não ser puxá-la para mais perto e beijá-la... na frente de toda a família.

O corpo dela ficou rígido contra o dele, os lábios cerrados. Mas, então, a ligação entre eles tomou conta de tudo e, mesmo que Nicole quisesse brigar com ele, a paixão que nenhum dos dois havia conseguido esconder veio a galope. Eles se beijaram como se fizesse anos que suas bocas não se tocavam, e não apenas 24 horas.

Abruptamente, Nicole empurrou-lhe o peito, afastando-se dele. Cobriu a boca com as duas mãos e os olhos estavam arregalados de horror.

Nicole voltou-se em direção à família.

— Peço desculpas por estragar seu almoço — ela disse com uma voz trêmula. Então, deu meia-volta e correu em direção à casa.

Puta merda.

Marcus nunca expusera seu coração assim antes, para, em troca, tê-lo destroçado e espalhado em mil pedaços. Seu orgulho lhe dizia que deixasse Nicole ir embora, que não precisara dela antes e não precisava dela agora.

Pelo menos desta vez ele já sabia que era melhor mandar seu orgulho para o inferno.

Um minuto depois, Marcus Sullivan estava correndo atrás da pop star que lhe roubara o coração.

— Espere aí — Lori disse diante da saída de Marcus. — O que acabou de acontecer aqui?

Sua gêmea pigarreou.

— Sério que você é a única que ainda não tem a menor ideia? Será que consegue prestar atenção na vida de alguém que não seja você pelo menos por três segundos?

Antes que Lori pudesse voltar-se e pular na garganta da irmã, Zach disse:

— Para mim, parece que o Marcus acabou de estragar tudo. — Ele balançou a cabeça, não parecendo muito impressionado. — Cara, isso realmente foi péssimo.

— Talvez não seja tão engraçado quando acontecer com você — a mãe disse a ele, arqueando uma sobrancelha.

— Sem chance — Ryan respondeu. — O restante de nós está perfeitamente feliz em deixar o amor fora disso.

Sabendo que irritaria os irmãos, Chase disse:

— Nem todos. — E lascou um beijo grande e molhado nos lábios de Chloe. Ela riu e retribuiu-lhe o beijo.

— Não entendo — Lori disse. — Quando é que o Marcus e a Jill terminaram?

Sophie respondeu a Lori como se estivesse falando com uma criança de 2 anos de idade:

— Acho que ele finalmente terminou com ela e agora está apaixonado pela Nick...

— Ele diz que o nome dela é Nicole — Smith interrompeu-a, e Sophie lançou-lhe um olhar mortal por ter feito isso.

— Como eu estava dizendo, o único problema é que *ela* não parece estar apaixonada por *ele*.

O rádio de Gabe tocou de repente, um barulho alto e estridente, impossível de ser ignorado, junto com uma enxurrada de informações sobre a situação a respeito da qual todos ouviram quando ele aumentou o volume.

Ele já estava ficando em pé e se afastando da mesa antes de a central de bombeiros terminar de falar.

— Me desculpem por comer e sair correndo, especialmente agora que chegamos à melhor parte.

Mary também ficou em pé e deu-lhe um beijo e um abraço.

— Depois de tantos anos, deveria estar acostumada a ver você ir embora depois de receber uma chamada. — Ela soltou-o, relutante. — Cuide-se, querido.

— Não se preocupe — Gabe respondeu. — Nada vai acontecer com seu filho favorito.

— É verdade. — Smith brincou. — Vou ficar bem aqui e nada vai acontecer comigo.

Todos riram, exceto Lori. Assim que Gabe saiu, ela disse:

— Não consigo parar de me sentir responsável pelo lance com o Marcus e a Nick, quero dizer, Nicole. — O sorriso dela, geralmente contagiante, era inexistente. — Quero dizer, fui eu que apresentei os dois e os deixei jantando sozinhos. — Ela mordeu o lábio. — Ou sei lá o que eles acabaram fazendo.

— Não se sinta mal, Mazinha. É claro que ele a conheceu antes de você tê-los apresentado.

Lori olhou para Chase com olhos enormes.

— Duvido. Ele não fazia ideia de quem ela era quando eu os apresentei... — As palavras dela se perderam. — Ai, meu Deus! O Marcus deve ter sido o cara sobre quem ela estava me contando aquele dia no estúdio. E então os dois tentaram agir como se não se conhecessem. Não é à toa que ele estava tão esquisito naquela tarde e ela não parava de esquecer os passos que tínhamos ensaiado a manhã toda!

Todos se inclinaram mais para perto.

— O que ela disse sobre ele? — Sophia perguntou.

De repente, Lori percebeu que estava expondo os segredos de Nicole.

— Não deveria contar a vocês.

Ryan e Smith riram um para o outro, ambos sabendo o quanto estavam perto de colocar ainda mais lenha na fogueira do, até então, perfeito irmão mais velho.

— Já vimos o pior de tudo, Lori — Ryan disse, seguido por Smith:

— Talvez possamos ajudá-lo se soubermos um pouco mais.

Lendo o pensamento dos filhos, Mary disse:

— Smith, Ryan, acho que já vimos e ouvimos o suficiente sobre a privacidade deles.

— A mamãe está certa — Lori disse. — Além do mais, tudo o que ela me disse é que conheceu um cara na noite anterior e que pegou no sono no colo dele antes mesmo de se beijarem.

Zach gargalhou.

— O pobre coitado não conseguiu nem mantê-la acordada!

Mary fez os filhos ficarem quietos:

— Já chega. Não vamos ficar aqui fofocando sobre o irmão de vocês quando precisamos arrumar a mesa e lavar os pratos.

Depois que todos voltaram às suas tarefas, Chloe disse a Chase:

— Sua mãe é tão meiga que às vezes esqueço que ela criou oito filhos e sabe perfeitamente como lidar com vocês.

— Ela não fez isso sozinha. O Marcus a ajudou mais que qualquer um de nós. — Ele entrelaçou os dedos aos dela e puxou-a ainda mais perto, para baixo da sombra do carvalho. — Ele sacrificou muito por nós. Merece um final feliz.

Chloe voltou o rosto para olhá-lo dentro dos olhos.

— Aposto que ele vai ter um, muito, muito em breve.

— Como pode dizer isso depois do que aconteceu aqui hoje?

— Intuição feminina. A Nicole está apaixonada por ele.

Antes que pudesse perguntar como ela sabia, Chloe deu um beijo suave nos lábios dele e então disse:

— Uma mulher apaixonada sempre reconhece os sinais de outra mulher apaixonada. Como a Lori disse, de repente tudo faz sentido: o jeito como eles não conseguiam tirar os olhos um do outro durante o almoço, o jeito como ele ficou bravo com o Gabe por fazê-la sorrir e com o Ryan por chamá-la de linda. Garanto que a Nick está loucamente apaixonada pelo seu irmão, quer ela queira ou não.

— Que bom que os homens da família Sullivan são tão persuasivos, não é?

Chloe jogou os braços em volta do pescoço de Chase e ele a puxou mais para perto.

— Sim, é uma coisa muito boa.

CAPÍTULO VINTE E DOIS

Marcus saiu correndo de dentro da casa e parou de repente ao ver Nicole em pé ao lado do carro de Lori.

Nicole sabia que, se tivesse bom senso, continuaria fugindo de Marcus, de tudo que a machucava tanto. No entanto, ela fora para lá hoje para encará-lo uma última vez, não fora? E acabara entrando em pânico na frente de toda a família.

— Sua irmã me buscou e me trouxe aqui. Não posso ir embora sem ela.

— Não vá embora. — Marcus se aproximou dela devagar e com cuidado. — Por favor, não vá embora.

Ela ainda podia sentir o doce sabor do beijo dele quando passou a língua sobre os lábios.

— Eu não deveria ter saído correndo daquele jeito. — Ela engoliu em seco e obrigou-se a dizer: — Não quando sei que precisamos conversar.

Ela pôde ver o misto de alívio e preocupação no rosto de Marcus quando ele se aproximou.

— Sinto muito por ter feito você passar vergonha lá.

— Não tem problema. — E não tinha mesmo, pois ela compreendia o desespero que ele estava sentindo. Como poderia não entender, se sentia a mesma coisa?

— Não, Nicole. Você merece mais que isso. Muito mais. — Ele esticou o braço para alcançá-la. — Me dê outra chance. Por favor.

Ela queria pegar a mão dele, dar-lhe outra chance.

Mas não podia, pois sabia que o acabaria machucando.

— Marcus. — O nome ficou engasgado em sua garganta. — Tem algum lugar com mais privacidade para onde possamos ir?

Ele assentiu, o maxilar tenso enquanto deixava cair a mão que ela não havia aceitado. Pela calçada, levou-a por um pequeno caminho entre as casas. Sob as sombras dos velhos carvalhos, um parquinho abandonado parecia não ser usado havia décadas.

— Costumávamos vir aqui para brincar quando éramos crianças.

O coração dela doeu ao pensar na criança que Marcus fora um dia... e pelo quanto sua infância fora tão curta. Catorze anos era cedo demais para ter nos ombros as responsabilidades que ele assumira.

— Sua família é fantástica, Marcus. — Ela sentou-se em um banco rachado. — Estou muito feliz por ter conhecido todo mundo. Dava para sentir o quanto se amam, lá no quintal da casa da sua mãe.

Ele não se sentou ao lado dela, mas, em vez disso, ajoelhou-se na terra, na frente dela. Nicole deixou que ele lhe tomasse as mãos, absolutamente incapaz de fazê-lo afastar-se novamente. Pelo menos, não com suas mãos.

— Era verdade o que disse na praia? Você realmente está apaixonada por mim?

Ela olhou nos olhos dele, viu a dor e o medo surpreendente de que ela não o amasse de verdade. Não deveria admitir que ainda o amava.

Mas admitiu.

— Sim — ela disse suavemente. — Amo você.

— Graças a Deus.

— Não — ela respondeu rapidamente. — Pensei muito desde ontem à noite. — Ela engoliu em seco, balançou a cabeça e tentou evitar derramar as lágrimas que já estavam em seus olhos, esperando para cair. — Posso imaginar por que o Smith quis conversar com você na garagem. Ele queria avisá-lo sobre mim, sobre como seria ser meu namorado, de verdade, abertamente, não queria?

— O que você e eu fazemos não é da conta do Smith.

— Não, mas aposto que tudo que ele lhe disse sobre o circo da nossa vida é verdade.

— Sempre gostei de circo.

Ela queria jogar os braços em volta dele, queria beijá-lo por dizer que abriria mão de tudo por ela. Entretanto, sabia que nunca se perdoaria por ser tão egoísta. E, no final, ele também nunca a perdoaria.

Marcus já abrira mão de tanta coisa pela família; não podia deixar que abrisse mão de mais nada por ela.

— Eu enganei você na noite passada — ela confessou. — Pesquisei sobre você na internet. Li tudo sobre a Vinícola Sullivan. Vi o quanto seu trabalho foi magnífico e o papel importante que tem na sua comunidade. Você merece ter uma esposa que possa apoiá-lo em tudo o que faz, alguém que possa ser uma companheira em tudo. Não alguém que toda semana esteja dentro de um avião voando para outro estado, outro país, outro hemisfério. Não precisei de mais do que cinco minutos com sua família para ver que você não é como o Smith ou a Lori ou o Ryan. Você não liga para o glamour, não precisa que tirem fotos suas. Não precisa usar seu charme e seu carisma para impressionar as pessoas. O que impressiona em você é sua essência, Marcus, e não precisa de um palco enorme ou de uma multidão para saber seu próprio valor.

Ele abriu a boca para interrompê-la, mas ela colocou-lhe a mão sobre os lábios antes que ele pudesse dizer algo que a fizesse mudar de ideia.

— Veja bem, é o seguinte: eu sei da loucura e do circo que é minha vida, e, apesar de às vezes me deixar maluca não poder sair como uma pessoa normal para tomar um café ou ir ao cinema, ainda assim adoro tudo isso. Não quero cantar só por pouco tempo. Quero estar por aí daqui a 20 anos, escrevendo e tocando músicas que milhões de pessoas queiram ouvir.

— E vai estar.

— Obrigada por acreditar tanto em mim — ela respondeu. — Apesar das palavras que jogamos um na cara do outro ontem na praia, você nunca me tratou como uma pop star idiota. Você me respeitou e agora preciso respeitar você também. É só mais uma razão para eu não fazer isso com você, mais um motivo pelo qual não posso pedir que faça parte

do meu mundo.

— Essa decisão não deveria ser minha, gatinha?

O carinho na voz dele quase a fez partir-se ao meio, fazendo-a admitir:

— Sabe o que é mais louco sobre tudo isso? Eu queria ser aquela que curaria toda a dor do seu coração. Mas, em vez disso — ela precisou parar, tentando buscar o ar que estava parado em sua garganta —, em vez disso, fiz tudo ficar ainda pior. Sinto muito, Marcus. Muito mais do que você possa imaginar.

Ela puxou as mãos e ficou em pé.

— Não podemos mais nos ver. Se puder me levar de volta ao hotel, agradeço.

Enquanto se virava de costas para afastar-se dele, ela pensou que, de alguma maneira, teria que segurar o choro até estar sozinha.

E, então, muito tempo depois, ela teria que, de algum modo, aprender a parar de chorar.

Marcus foi atrás dela e colocou a mão em sua cintura, exatamente como fizera naquela primeira noite.

— Tudo aquilo que você me disse na praia, sobre fazer as escolhas erradas por ser mais fácil do que amar realmente e arriscar tudo, era verdade.

Surpresa, ela voltou-se para olhá-lo nos olhos enquanto ele prosseguia:

— Sempre achei que fosse minha família que precisava de mim. Mas finalmente percebi que eles precisavam de mim tanto quanto eu precisava deles. Precisei deles quando tudo ficou assustador, difícil e incerto, quando o homem que eu mais amava no mundo de repente se foi. Mas, quando conheci você, me dei conta de que tinha encontrado alguém por quem estava disposto a abrir mão deles.

— Não, Marcus — ela disse, balançando a cabeça. — Nunca deveria ter que abrir mão de sua família. Você tem amor suficiente no coração para todos eles e para sua própria família, que provavelmente logo vai ter. — Ela obrigou-se a colocar as palavras para fora, engasgadas: — Tenho certeza de que vai encontrar uma pessoa perfeita para você. Perfeita para sua vida.

— Já encontrei.

As lágrimas que ela jurara não derramar começaram a cair.

— Por favor, não torne isso mais difícil do que já é. Eu e você sabemos que, apesar do quanto queremos que isso funcione, nunca vai dar certo. — Ela olhou para ele, entre lágrimas. — Nunca vou me arrepender por ter ficado com você. Foram os momentos mais lindos da minha vida. — Nicole respirou fundo. — Mudei meu voo para ir embora hoje à noite, em vez de amanhã cedo. Preciso voltar para arrumar minhas malas.

Ela voltou-se para caminhar de volta até a casa da mãe dele, quando a voz de Marcus, outra vez, a fez parar no meio do caminho:

— Nós dois sabemos que você não quer isso. Nós dois sabemos que um beijo, um toque, são tudo de que eu precisaria para fazer você mudar de ideia.

O homem que implorara para que ela ficasse, para que olhasse a situação sob o ponto de vista dele, já havia desaparecido. Em seu lugar havia o amante dominador que a enlouquecera tanto, que a fizera tremer de desejo e lhe mostrara os mais incríveis prazeres.

— Você está certo, Marcus — ela concordou, obrigando-se a encará-lo novamente. — Não resisto aos seus beijos, não resisto à maneira como você me toca. — Ela olhou-o nos olhos e admitiu tudo, dando a ele, de propósito, munição para o arsenal a ser usado contra ela. — Não consigo lutar contra a fome nos seus olhos quando olha para mim, nem deixar de reagir. Mas é isso o que quer? Que eu seja nada além de um corpo quente e cheio de desejo que não resiste a gozar para você?

A dominação tornou-se raiva em um minuto, e, então, ele começou a se mover rapidamente, as mãos nos ombros dela, a boca punindo-a enquanto tirava tudo o que ele queria, tudo o que ela gostaria de oferecer a ele, mas não podia.

Assim como ele acabara de afirmar, Nicole sabia que era inútil tentar lutar contra os beijos dele. Sucumbira à necessidade que tinha dele até mesmo na frente da família. Mesmo estando furioso por ela tentar ir embora quando ele queria que ficasse, mesmo quando deveria também estar furiosa com ele por finalmente tratá-la como o símbolo sexual que lhe dissera que não precisava mais ser, tudo o que ela conseguia sentir era o coração dele batendo contra o dela... juntamente com o amor por ele, mesmo quando ele estava usando a fraqueza de Nicole contra ela mesma.

Contudo, quando pensou que ele fosse lhe arrancar as roupas e possuí-la bem ali, sobre o velho escorregador de metal, ele empurrou-a e a manteve a distância.

— Esta história entre nós ainda não terminou. Não está nem perto disso.

Ela permitiu-se olhar demoradamente para ele, pela última vez.

— Tem que terminar.

E, desta vez, quando ela começou a andar para ir embora, ele a deixou partir.

No entanto, mesmo depois de ele tê-la levado ao hotel, mesmo horas depois de estar acomodada embaixo do cobertor da primeira classe e de o avião se afastar cada vez mais de São Francisco, ela sabia que não havia terminado.

Marcus Sullivan era um homem que decidia exatamente o que queria e então ia atrás até conseguir. E, por algum motivo além de sua compreensão, ele parecia querê-la.

Durante o sono perturbado no avião, quando dizia a si mesma que não queria que ele lutasse por ela, seus sonhos com Marcus, cheios de beijos e carícias, os olhos negros e as doces palavras de amor dele, não a deixavam se esconder da verdade.

CAPÍTULO VINTE E TRÊS

Fazia quinze dias, seis horas e 23 minutos desde que vira e ouvira falar de Marcus.

Ela estivera errada. Ele não queria nada com ela.

Nicole sabia que deveria ficar contente com isso, feliz por não ter que ficar resistindo a ele. Mas estava muito longe de estar feliz... o mais longe possível, na verdade.

A agente dela entrou no escritório, balançando um fax.

— A *Billboard* acabou de me informar que *One Moment* acabou de alcançar o número um das paradas de sucesso! E, espere, você vai pirar quando ouvir isso, os ingressos da sua turnê se esgotaram em duas horas! Vamos precisar de mais datas. Muitas datas. Se tivermos sorte, não vai poder ver sua casa por um bom ano e meio!

Isso fora o que sempre quisera. Um grande sucesso. Uma grande turnê internacional, completamente esgotada. Entretanto, mesmo enquanto ela e Jane se abraçavam e se cumprimentavam e Jane falava a mil por hora sobre como Nicole fora maravilhosa por gravar o clipe de última hora para *One Moment* — só ela e o violão e um palco praticamente vazio — e insistira para que a gravadora soltasse a versão acústica também,

Nicole sabia que estaria muito mais feliz se pudesse ter compartilhado esse sucesso com Marcus.

Quase podia vê-lo dizendo o quanto estava orgulhoso dela, que sabia que ela conseguiria.

E que a amava.

De repente, uma grande lágrima escorreu sobre seu rosto. Felizmente, sua agente achou que fosse choro de felicidade e, depois de beijar Nicole nas duas bochechas, atendeu o telefone que estava tocando e saiu da sala para tomar conta da situação e negociar contratos milionários.

Nicole caminhou até a janela e pressionou as mãos contra o vidro, olhando fixamente para as ruas de Los Angeles lá embaixo. Três semanas antes, ela estivera olhando para as ruas de São Francisco.

Já estivera em tantos edifícios altos, visitara tantas cidades movimentadas. Naquele momento, mais do que nunca, o mundo era sua própria ostra. Não que isso tudo não significasse nada sem amor; óbvio que o sucesso significava alguma coisa. Mas o amor fazia tudo ficar tão mais completo, tão mais doce. E, sim, fazer sexo com Marcus havia sido uma experiência maravilhosa, e só de saber que os braços dele estariam esperando por ela, que podia encostar a cabeça contra as batidas firmes do coração dele... bem, esse seria o tipo de felicidade que duraria para sempre.

Infelizmente, nada disso mudava o fato de que todas as razões que tivera para deixá-lo continuam verdadeiras.

Mesmo assim, em pé junto da janela, Nicole se amaldiçoava em silêncio por não ter deixado as coisas com Marcus durarem um pouquinho mais. Por que não se permitira ser feliz com ele por mais alguns dias?

Nicole afastou-se da janela com um suspiro, sabendo exatamente o porquê de ter-se obrigado a entrar naquele avião e sair da vida dele para sempre.

Independentemente do quanto tentassem esconder o relacionamento de todos ao redor deles, um dia seriam descobertos. O circo engoliria Marcus e viraria a vida dele de cabeça para baixo. Ela não se perdoaria por magoar alguém que amasse tanto assim, não aguentaria as pessoas questionando o julgamento dele por ter se envolvido com ela.

No entanto, um lado totalmente oposto dela desejou que não houvessem sido tão bons em esconder o relacionamento deles do mundo, pois se ao menos houvesse fotos dos dois na internet, talvez tivessem que lidar um com o outro de alguma maneira, mesmo que pequena... em vez de conseguirem se desligar completamente.

Olhou para o relógio e percebeu que agora fazia oficialmente quinze dias, seis horas e 34 minutos que estava sem ele. Em algum momento, viria um dia quando não estaria mais contando os minutos e as horas. Em algum momento, ela não teria mais esperança de ouvir seu nome nos lábios dele de novo, um "Nicole" saindo do nada que a faria olhar para aquele rosto absurdamente lindo, o coração dela disparado de expectativa enquanto esperava por um de seus comandos sensuais.

Que merda, organizar tudo havia demorado mais do que ele esperava. Muito mais.

Marcus nunca havia gostado muito de assistir à TV ou ler revistas, mas, durante as duas últimas semanas, estivera grudado nelas. Até poder estar com Nicole de novo, precisava ter certeza de que a mulher que ele amava estava bem. Ele ficara empolgadíssimo quando a música dela alcançara a primeira posição no ranking e os ingressos para seu show esgotaram imediatamente. Ela merecia tudo isso e mais. Muito mais.

Lori aparecera à sua porta duas noites antes com um plano para uni-los novamente. Ela ficara mais que satisfeita quando ele lhe informara que já estava trabalhando nisso e, agora, quando ela o levava ao aeroporto, escutavam a entrevista de Nicole no rádio.

— Vou ser bem honesta com você, Nick — a entrevistadora do rádio disse. — Quando ouvi *One Moment* pela primeira vez, ela me pareceu igual a qualquer outra grande canção de sucesso que me faz querer dançar. Mas, quando vi seu vídeo acústico, finalmente percebi o quanto de seu coração havia por trás da música. Fale um pouco sobre isso.

— Sempre amei o que faço — ela respondeu, sua voz levemente rouca entrando pelas veias de Marcus como um copo de vinho gelado em um dia quente e seco —, mas, recentemente, percebi que só estava deixando as pessoas verem um lado meu.

— O que a fez decidir nos mostrar esse seu outro lado, de compositora e cantora cheia de paixão que escondeu durante tanto tempo?

— Um amigo teve a coragem de dizer isso na minha cara. — Ela riu e ele praticamente podia ver o sorriso dela, seus olhos brilhantes. — Infelizmente, a princípio não aceitei o conselho muito bem, mas, depois, vi que era melhor. E foi por isso que decidi regravar a música daquele jeito. Adoro a produção completa, adoro dançar com meus bailarinos, mas há muito tempo quero fazer uma versão nua e crua de uma das minhas músicas.

— E, então, Nick, quais são os próximos planos agora que já alcançou a primeira posição no país com seu *single* e sua turnê está esgotada?

Marcus podia sentir os olhos de Lori sobre ele enquanto aguardavam a resposta de Nicole:

— O amor.

Após o término da entrevista, Marcus desligou o rádio e Lori exclamou:

— Meu Deus, Marcus, ela é fantástica, não é?

— É.

— Como você poderia *não* ter se apaixonado por ela?

Ele balançou a cabeça, sabendo que sua irmã estava dizendo a mais pura verdade.

— Nunca tive a menor chance de resistir.

Lori cobriu a mão dele sobre o câmbio do carro.

— Espero que seu plano realmente funcione, irmãozão.

Ele também esperava.

Boise, Idaho.

Ao final do primeiro show de sua turnê em Boise, Nicole fizera seu último bis, uma versão de *One Moment* que começara com ela no meio do palco, tocando violão e cantando a versão acústica antes de os feixes de luz e a fumaça trazerem todos os membros de sua equipe de volta ao palco... e o corpo dela sendo coberto, dos pés à cabeça, por pontos brilhantes de luz.

A equipe havia trabalhado com ela cada minuto do dia para refazer o show até a noite de estreia, de forma a incorporar os segmentos dançantes ao novo estilo acústico. Fora absolutamente exaustivo. E maravilhosamente desafiador.

Nicole abraçara o trabalho e dedicara-se mais que qualquer um, em parte pelo bônus de estar cansada demais de pensar em Marcus a cada minuto. Se a reação que a plateia tivera naquela noite servisse de indicação, tudo havia valido muito a pena.

Esta noite ela estava determinada a se divertir na comemoração com todos. Mesmo que a pessoa mais importante do mundo não estivesse lá na plateia, ela ainda sentia que ele estava com ela, torcendo por ela, amando-a de como ninguém jamais amara.

Mas, primeiro, tinha que ir ao local atrás dos bastidores, onde se apresentava e conversava com as pessoas que haviam comprado os ingressos mais caro para conhecê-la. Assim, poderia fazer alguma doação às fundações pró-alfabetização em cada condado onde tocava. Apesar de estar exausta quando as luzes se apagaram no palco e se acenderam para a plateia, a causa era importante o suficiente para fazê-la passar por cima do cansaço durante mais uma hora toda noite.

Ela entrou na área atrás da cortina, onde Katie, sua agente da turnê, imediatamente a levou até o primeiro grupo. Ao caminhar pelo salão, a pele dela formigou e esquentou; mesmo quando olhou rapidamente pelo ambiente para procurar pela única pessoa no planeta que a fazia sentir-se dessa maneira, sabia que não havia como Marcus estar em Idaho. Provavelmente ainda estava com as emoções à flor da pele por causa do show e sua imaginação estava solta por causa do cansaço.

De canto do olho, podia ver Jimmy, seu guarda-costas, franzindo o cenho e falando ao rádio com uma voz tensa. Sem ter certeza do que estava acontecendo, mas confiante de que Jimmy tomaria conta de tudo, ela começou a bater papo com os fãs, sorrir para as câmeras, dar autógrafos em CDs, iPods e camisetas do show, nunca se esquecendo, em nenhum momento, o quanto tinha sorte por estar nessa situação.

Ela acabara de se despedir de uma menina com um abraço quando Katie apareceu com uma expressão preocupada.

— O Jimmy precisa falar com você.

Aquele formigamento voltou enquanto seu guarda-costas se aproximava.

— O homem de São Francisco voltou, não é?

— Sim. Os guardas já estão a caminho para buscá-lo.

Os guardas? Ela quase riu alto diante do absurdo da situação.

— Ele não é nenhum perseguidor — ela disse a Jimmy.

O guarda-costas pareceu muito confuso.

— Não?

— Não, não é. — Ela respirou fundo. — Onde ele está? Pode trazê-lo até aqui?

Jimmy franziu o cenho.

— Se ele for algum cara que está forçando você a...

Ela colocou as mãos no braço dele.

— Por favor, preciso vê-lo.

Jimmy assentiu, sem parecer nem um pouco feliz com isso.

— Vou buscá-lo.

Trinta segundos depois, quando Marcus entrou, seguido de perto por Jimmy, Nicole teve o pensamento maluco de que estivera fantasiando tanto sobre ele que ele acabara surgindo do nada.

Ela precisava pensar direito, precisava se dar um tempo para tomar fôlego e forçar seu coração a bater mais devagar. Tentou se preparar para controlar a vontade de se jogar nos braços dele, mas nada poderia tê-la preparado para o que viu nos olhos dele.

Puro amor.

E algo mais que parecia... paciência.

Ela sabia que ele ainda a queria — aquilo estava claro como a neve, a julgar pelas faíscas que voavam entre os poucos metros que separavam um do outro — mas, ao mesmo tempo, ela sentira que ele estava dizendo silenciosamente: *Vou esperar você mudar de ideia. O tempo que for necessário.*

Em vez de manter o controle, as mãos dela foram até o coração e ela esqueceu completamente que Katie e Jimmy estavam em pé ao lado dela, para garantir que estivesse bem, enquanto se engasgava com as palavras:

— Marcus, o que está fazendo aqui?

Por um longo momento, enquanto os olhos dele lhe percorriam o rosto, ele não respondeu. Ela estava feliz pela chance de poder fazer o mesmo, de sorver as linhas que o sol fizera ao redor da boca e dos olhos dele, de notar que, ainda que continuasse o homem mais bonito sobre o qual pusera os olhos, parecia ter perdido um pouco de peso desde a última vez que o vira.

Finalmente, ele disse:

— Tem um designer de rótulos na cidade que estou pensando em contratar. Era uma boa oportunidade para me encontrar com ele.

Nada disso parecia real e ela imaginou que estivesse sonhando.

— Foi um show maravilhoso, Nicole. Realmente incrível. Mal posso esperar pelo próximo.

O próximo?

E, então, antes ela que pudesse fazer seu corpo e seu cérebro funcionarem novamente, ele se fora. Todos os três o observaram virar as costas e ir embora.

Um segundo depois, Katie virou-se para Nicole e disse:

— Você está muito pálida. Sente-se aqui.

Nicole não era de ter chiliques e nunca desmaiara na vida, mas naquela noite achou melhor aceitar o assento que Katie estava empurrando para trás de seus joelhos. Ou aceitava ou sairia correndo pela casa de shows, gritando o nome de Marcus feito uma mulher desesperada.

Ela sabia muito bem as razões pelas quais um relacionamento com ele nunca daria certo. Boas razões. Assim, em vez de correr atrás dele com as pernas bambas, ela forçou-se a respirar fundo — uma dúzia de vezes, quando a primeira vez não adiantou nada — e repassar essas razões novamente.

Deus sabia, se ele voltasse e fizesse isso outra noite, ela precisaria ter todas as suas barreiras erguidas e em seus lugares para conseguir ser forte.

Mesmo assim, as coisas não faziam sentido. O amante dela havia voado até Idaho para ver seu show e não a havia agarrado nem beijado na frente de todos, como fizera na casa da mãe dele?

Por que ele não a beijara?

Salt Lake City, Utah.

Nicole saiu do palco depois de seu show em Salt Lake City na noite seguinte e tinha consciência de que havia arrasado. Ela tirara cada gota de paixão, amor, diversão e alegria de cada música. E fora tudo por Marcus. Ela cantara cada canção de amor para ele, mexera o corpo no palco só para os olhos dele.

Assim como na noite anterior, enquanto cumprimentava seus fãs, podia senti-lo nos bastidores, mesmo sem saber onde ele estava. Ela precisou de cada milímetro de concentração para conversar com todos os que haviam feito doações ao projeto de alfabetização de forma tão generosa, pois sabia que logo estaria conversando com Marcus de novo, mas queria dar o melhor de si a todas as pessoas na sala.

E, então, lá estava ele de novo, e Katie e Jimmy olhando de um para o outro.

— Devo chamar a segurança, Nick?

— Não, Jimmy. Estou bem.

Mais que bem, com Marcus em pé na frente dela.

Katie perguntou:

— Não é melhor eu deixar vocês a sós por alguns minutos?

A, meu Deus, não. Sozinhos não era uma boa ideia.

Reformulando: era uma *péssima* ideia.

Obviamente, tudo o que Nicole conseguiu fazer foi concordar e dizer:

— Por favor.

Marcus não esperou que ela perguntasse como passara o dia em Salt Lake City. Ele simplesmente disse:

— Tem uma excelente engarrafadora aqui. Acho que vou usá-la para nossa próxima safra de champanhe.

Ela pensara muito sobre tudo isso na noite anterior — e durante todo o dia também — e obrigou-se a dizer:

— Você não pode continuar fazendo isso.

Ele esticou o braço para roçar a mão na testa dela, onde o cabelo estava caindo sobre um dos olhos.

— Estou adorando fazer isso.

O corpo dela instantaneamente reconheceu o amante docemente dominador quando a mão dele pousou sobre a pele dela de um jeito possessivo que a fez pegar fogo, da cabeça aos pés e tudo no meio. Ela não conseguiu resistir e apoiou o rosto sobre a palma da mão dele por um segundo, consciente de todos os olhares sobre ela e que cada um deles estava imaginando o que estava acontecendo entre ela e aquele estranho maravilhoso usando um terno caro. Então, deu um passo para trás quando, na verdade, tudo o que queria fazer era se aconchegar nele como fizera um dia.

Baixando a voz para ter certeza de que ninguém poderia ouvir, ela perguntou:

— Pretende me seguir pelo mundo?

Se ele já não houvesse conquistado cada parte dela, o sorriso de Marcus poderia ter-lhe roubado o coração.

— Você está tocando nas minhas cidades favoritas.

Era pura tortura imaginar quão glorioso seria se enfiar debaixo das cobertas com Marcus, tarde da noite depois dos shows, em um ônibus, avião ou quarto de hotel.

— Nunca vou me perdoar se sua vinícola for para o espaço sem você lá.

Ele arqueou uma sobrancelha.

— Não acho que minha equipe gerencial gostaria de ouvir o que você pensa sobre eles.

— Não é isso o que quero dizer! — ela respondeu, frustrada demais com o jogo que ele estava jogando para conseguir manter a voz baixa e, ao mesmo tempo querendo continuar o jogo.

— Você estava linda lá em cima hoje, gatinha. E tão boa que me deixou em êxtase, de novo.

A única maneira que encontrou para não gritar o quanto o amava, o quanto sentia falta dele, foi dizer:

— Não é só por causa da fama, Marcus. Não é só por causa das nossas agendas impossíveis. Não sou boa para você. Se sua comunidade, seus colegas souberem de mim...

— Eu não menti para você — ele disse, e foi então que ela percebeu que ele queria dizer que não havia feito nenhuma pesquisa sobre ela na internet, quando ele continuou: — Mas seus fãs comentam; e eles amam você. Eles estão do seu lado. Assim como eu. E eu amo você também. Nós todos já fomos jovens e estúpidos uma vez na vida; todos já fizemos coisas das quais não nos orgulhamos. Já confiamos em pessoas em quem não devíamos ter confiado. Sim, as pessoas provavelmente vão acreditar em alguma coisa que leram ou viram. Muita gente, na verdade. Mas posso lhe garantir que qualquer pessoa que conheça você pessoalmente vai se apaixonar tanto quanto eu.

Ela podia quase sentir o sabor do beijo dele; na verdade, estava morrendo por um beijo quando ele disse:

— Prometi a você que não iria a lugar nenhum. E não vou. Mas esta é uma decisão tanto sua quanto minha.

Ele pegou as mãos dela e as levou até os lábios para beijar-lhe os ossinhos dos dedos.

— Boa noite, minha gatinha.

Denver, Colorado.

— Não me diga — Nicole disse quando ela e Marcus eram as duas únicas pessoas na sala para convidados especiais naquela noite. — Tem uma vinícola no Colorado que você está pensando em comprar.

— Na verdade, um velho colega da faculdade mora por aqui. Tive um ótimo dia batendo papo com ele e a família.

Ele sorriu e ela não pôde fazer nada além de retribuir o sorriso. Ela havia esperado o dia inteiro para vê-lo.

E, o dia inteiro, estivera achando cada vez mais difícil convencer-se de que ficar sem ele era a coisa certa. Ela começara a se dar conta de que Marcus não se importava muito com o que as pessoas pensavam sobre ele. Se se importasse, não estaria comprando pacotes VIP toda noite.

Depois de passar apenas três noites com a equipe dela, enquanto Nicole conversava com os fãs, era como se Marcus fosse um deles, como se estivesse na turnê. Ela estava começando a suspeitar que isso fazia parte dos planos dele... e estava mais que surpresa por ele ter conseguido montar esse agenda, para começar.

Ainda assim, quanto tempo ele continuaria com isso?

— Por favor, me diga que vai voltar para Napa, Marcus. Voltar para sua vida real.

— Na verdade, vou fazer parte da diretoria de um evento que vai acontecer amanhã à noite, então, sim, preciso estar de volta nas próximas duas noites.

O estômago dela foi parar nos joelhos.

— Ótimo. Sei o quanto sua presença significa para todos.

Ela ficou surpresa ao sentir os dedos dele embaixo de seu queixo, puxando o rosto dela para cima em direção a ele.

— Venha comigo, Nicole. Tenho um avião fretado que sai hoje à noite. Podemos estar lá de manhã, passar o dia na vinícola e participar do evento, e eu tranquilamente a levaria para o próximo local do show a tempo de dar as entrevistas e fazer a checagem do som.

— Marcus, eu...

A boca dele estava sobre a dela antes que pudesse saber o que responderia. O beijo era macio e doce, mas ela sentia como se seu mundo inteiro houvesse virado do avesso.

— Isso não é justo — ela protestou em uma voz entrecortada.

— Não estou mais jogando conforme as regras, minha gatinha. Amo você demais para isso.

E, então, as mãos dele estavam nos cabelos dela e os braços dela ao redor do pescoço dele, e ela o beijava como sonhara beijá-lo havia semanas. Se não fossem todos aqueles pares de olhos queimando sobre eles, ela nunca teria parado de beijá-lo.

Forçando-se a desvencilhar-se dos lábios de Marcus, ela disse, encostada na boca dele:

— Que tal eu apresentar você para minha equipe?

— Acho que eles já têm uma boa ideia de quem eu sou.

Ela estava surpresa ao pegar-se rindo com ele enquanto se separavam.

Ela fora tão cuidadosa ao não dar munição para ser usada contra ela a ninguém, nem mesmo à equipe na qual aprendera a confiar ao longo dos anos, que basicamente havia vivido como uma freira nos últimos seis meses.

Agora, ela tinha que pensar se o motivo de se importar tanto com o que todos pensavam era porque era mais fácil lidar com a imprensa do que correr o risco de se machucar de novo.

Mas, talvez, ela começou a pensar, valesse a pena correr esse risco por algumas coisas.

— Vou pegar minhas coisas no ônibus — ela de repente disse a Katie, que estava em pé a poucos passos dela. — Tenho um avião para Napa Valley me esperando.

A gerente da turnê olhou de Nicole para Marcus, então balançou a cabeça em sinal de aprovação.

— Desde que você a leve para a entrevista ao meio-dia em Dallas, daqui a dois dias.

Sorrindo, Nicole respondeu:

— Vocês podem se entender com a agenda enquanto eu pego minhas coisas.

Ela estava a meio caminho da porta quando olhou sobre o próprio ombro e viu Katie e Marcus trabalhando juntos com seus *smartphones*.

Mas, ao caminhar em direção ao ônibus da turnê, ela sabia que beijar Marcus na frente de toda a sua equipe havia sido a parte fácil.

Ele dissera a ela que o circo da vida dela não o assustava.

Agora, ele acabara de provar isso a ela.

Infelizmente, a maior questão ainda pairava no ar: o que o mundo dele pensaria dela? Será que eles a acolheriam de braços abertos da mesma forma que a equipe dela recebera Marcus?

Ou será que sua juventude e má reputação prejudicariam Marcus, exatamente como ela imaginara?

Ao embarcar no jatinho particular, Nicole pensou que havia muitas coisas que precisavam ser ditas entre eles; porém, quando Marcus a envolveu com os braços e apertou o cinto de segurança sobre os dois juntos, ela cedeu à quentura daquele abraço, aconchegando-se nele como sempre fazia, ouvindo o batimento de seu coração, a sensação de estar perfeitamente segura fazendo-a cair em um sono profundo, como havia semanas não conseguia.

Finalmente, quando Nicole pegou no sono em seu peito, Marcus soltou a respiração.

Nicole estava de volta ao lugar ao qual pertencia. Nos braços dele.

Agora, tudo o que tinha que fazer era convencê-la a ficar. Desta vez, a qualquer custo...

CAPÍTULO VINTE E QUATRO

— Meu Deus, isso é lindo!

O sol estava nascendo sobre a Vinícola Sullivan e os pássaros acabavam de despertar. Nicole riu suavemente quando um filhote de gaio-azul colocou a cabecinha para fora do ninho para dar-lhes as boas-vindas. Enquanto estavam na varanda e olhavam os extensos vinhedos, Marcus agradeceu ao cenário, em silêncio, pelo espetáculo que estava proporcionando a Nicole.

Os dois haviam dormido no avião e, apesar de não ter sido uma noite de completo descanso, ele sentia-se mais revigorado e alerta do que quando Nicole partira de São Francisco, três semanas antes.

— A vinícola foi para onde você veio para se recuperar, não é?

Ninguém jamais havia colocado isso tão claramente para ele... nem acertado tão precisamente na mosca.

Puxando-a para mais perto, ele disse:

— A primeira vez que vi esta terra foi durante uma excursão no Ensino Médio. Foi insano, mas juro que vi um homem que parecia meu pai cuidando das vinhas. Assim que tirei minha carteira de motorista, vim até aqui para procurá-lo de novo.

— Você não estava sozinho, estava?

— Não. — Ele sorriu para a mulher que amava. — A maioria dos meus irmãos e irmãs se enfiou no carro comigo. Não contei a eles sobre o que vira, mas desde aquela época eu sabia que um dia esta terra seria minha. E que deixaria meu pai orgulhoso.

Ele observou-a, vendo os olhos dela brilharem com a história. A voz dela estava rouca quando perguntou:

— Como pode pensar em sair deste lugar durante semanas a fio?

Ele sabia o que Nicole estava perguntando, que ela não entendia por que ele iria querer acompanhá-la nas viagens para os shows.

— Faz 22 anos que meu pai morreu e, até você aparecer, eu nunca tinha dito a ninguém o quanto foi difícil assumir o lugar dele na família. Eu nunca quis admitir isso para mim mesmo. E ninguém nunca ousou me questionar sobre isso. Tenho certeza de que outras pessoas perceberam, mas eu consegui mantê-las a distância.

Ela havia se voltado para ele e, sem que ela própria percebesse, pegara-lhe as mãos e agora as colocava sobre o coração.

— Mas não você, Nicole. Você entrou com tudo desde aquele momento na boate e, apesar do quanto tentei me afastar, você nunca deixou.

— Sou chata assim mesmo — ela disse em uma voz baixinha. — Sempre me enfiando onde não sou chamada.

— Adoro que seja assim, que decida o que quer e não deixe que ninguém entre no seu caminho. Não é à toa que sua carreira está na estratosfera e querem que faça shows até em Timbuktu.

Ele ficou feliz ao vê-la sorrir, ao ver a sombra se dissipar de seus lindos olhos.

— Não perdi minha juventude completamente, mas uma grande parte dela simplesmente se foi.

Ele balançou a cabeça, tentando colocar em palavras os sentimentos, quando finalmente chegou à conclusão:

— Não me arrependo de ter passado tanto tempo com meus irmãos e irmãs para ajudar minha mãe. Eles mereciam.

— Você também merece, Marcus.

Ele deu um rápido beijo nos lábios dela e então disse:

— Quer saber o que minha mãe me disse naquele almoço no domingo?

— "Onde você está com a cabeça para se envolver com uma garota como essa?" — ela adivinhou, mas sorriu levemente e ele sabia que ela só estava brincando.

— Ela me disse que sempre esperou que eu encontrasse alguém que pudesse amar mais do que amo à minha família.

— Já lhe disse antes, naquele parquinho atrás da casa da sua mãe, que não quero atrapalhar seu relacionamento com sua família.

— Não vai atrapalhar nada, minha gatinha. Você me mostrou que finalmente chegou a hora de cortar as amarras, de deixá-los viver a vida deles. E que finalmente chegou a hora de eu viver minha vida. Esse tempo todo, foi muito mais fácil me focar em meus irmãos e irmãs, ajudar minha mãe e administrar este vinhedo do que me concentrar no meu próprio coração.

Ele a puxou para ainda mais perto.

— Uma vez, você me disse que as pessoas acreditam naquilo que é mais fácil de acreditar. Tanto eu quanto você acreditamos piamente que não conseguiríamos fazer este relacionamento dar certo, que éramos muito diferentes, não foi?

Ela concordou.

— É mais seguro desse jeito.

— Eu sei que é, mas eu finalmente estou pronto para acreditar no que é mais difícil de acreditar. — Ele sorriu para ela. — Eu sabia que só palavras nunca convenceriam você de que isso daria certo; sabia que precisava mostrar, provar isso a você e insistir muito, tanto quanto você insistiu.

— Minha equipe achou que você fosse louco. O Jimmy ia chamar a polícia naquela primeira noite, sabe. E na segunda também.

Ele sorriu.

— Eu sei. Mas valia a pena correr o risco por você. Qualquer risco, todos os riscos. Vou adorar acompanhar você ao máximo de shows que conseguir e tenho certeza de que vai adorar a paz e a tranquilidade daqui comigo toda vez que puder vir. Não tenho dúvida de que esta terra e a beleza daqui vão alimentar sua alma da mesma maneira que alimentam a minha.

— Como você sempre vê coisas em mim que ninguém vê?

— Eu conheci a Nicole antes de conhecer a Nick — ele lembrou-a. — Esqueça aquelas baboseiras que disse a você na praia. Você nunca se escondeu de mim.

— Não sei como me esconder de você. Mesmo quando tentei, não conseguia esconder o que você me fazia sentir. — Ela fez uma pausa. — Principalmente quando me dizia o que queria que eu fizesse na cama.

Ah, era exatamente a "deixa" pela qual ele estivera esperando.

— Três semanas atrás, eu estava jogando conforme as regras. E você foi embora. — Ele prendeu o olhar dela com um olhar despudoradamente cheio de desejo. — Hoje, não vou seguir as regras. Até onde sei, assim que entrou naquele avião comigo, as regras se foram.

As pupilas dela se dilataram e a respiração começou a se acelerar, sinais evidentes de que ela estava ficando excitada... e que ela queria isso tanto quanto ele.

Sabendo que ela adorava essa expectativa, ele disse:

— Estou planejando usar todas as armas do meu arsenal para convencer você de que fomos feitos um para o outro. Não estou com medo de jogar sujo desta vez, minha gatinha.

Ela lambeu os lábios.

— Eu gosto de jogo sujo.

Ele sorriu-lhe um sorriso cheio de promessas devassas.

— Sei que você gosta, minha gatinha esperta, meiga, sexy e sem-vergonha. — Ele pegou-a no colo e chutou a porta da frente para carregá-la até o quarto. — Quero você na minha cama.

— E eu também quero estar lá. — Ela pegou o rosto dele entre as mãos e beijou-o.

Precisando concentrar-se no beijo e não em subir as escadas, ele parou no meio do caminho, sentando-se nos degraus, e ela ficou montada nele.

Não havia a menor possibilidade de chegarem até o quarto no andar de cima. Pelo menos, não desta vez.

— Levante os braços para mim, minha gatinha.

Os olhos dela se acenderam diante daquele comando sensual que dera a ela na primeira noite, depois de novo e de novo. Ela ergueu os braços lentamente e deixou-o puxar a camiseta pelo torso e por cima da cabeça.

O sutiã dela era de renda preta e vermelha, com um lacinho branco no meio.

— Até conhecer você, sempre achei que tinha que ser uma coisa ou outra, a princesa pop e sexy ou a garota meiga com o violão. Quero ser as duas, Marcus.

— Eu comecei a me apaixonar pela deusa do sexo naquele vestido de couro com aqueles inacreditáveis saltos... e soube que estava perdido quando você pegou no sono no meu colo como uma gatinha manhosa. — Ele colocou as mãos na cintura dela, depois mais para baixo, para agarrar-lhe o traseiro e escorregá-la mais para perto. — Sempre amei seus dois lados. — Sem perder nenhum minuto, ele continuou: — Quero que fique em pé e tire o resto da roupa.

Os olhos dela se arregalaram, mas ela rapidamente saiu do colo dele e desceu um degrau para tirar a calça jeans, o sutiã e, então, a calcinha.

Ele colocou as mãos sobre a barriga dela e depois lhe agarrou os seios.

— Linda!

Ela respirou tremulamente, experimentando sensações fantásticas nos seios que agora estavam nas mãos dele.

— Acho que chegou a hora daquela surra que prometi a você — ele disse enquanto esfregava as pontas dos dedos sobre os mamilos intumescidos dela. — Uma pequena punição por ter levado tanto tempo para mudar de ideia e ver que podemos fazer as coisas darem certo.

Os olhos dela se encheram de excitação, mesmo sob protesto.

— E se eu não quiser apanhar? E se eu não gostar?

Em vez de responder às perguntas dela, Marcus tirou as mãos dos seios dela e disse:

— Vire-se, minha gatinha, e segure no corrimão da escada.

Ele podia ver o coração dela pulsando através da pele macia de seu pescoço quando ela parou para pensar. Por fim, fez como ele pedia.

Meu Deus, a bunda dela era perfeita, formando um maravilhoso coração no momento em que ela abriu-se levemente para ele, antes de provocá-lo com um olhar sedutor por sobre o ombro.

Passando a mão sobre a barriga de Nicole, ele segurou-lhe o torso enquanto, com a outra mão, acariciava a protuberância de seu quadril.

— Tão linda, tão meiga. — Ele deu um beijo na cintura dela. — E toda minha.

Um momento depois, ele desceu a mão, dando um tapa no traseiro, que deixou uma leve marca rosada na pele bronzeada.

Ela não gritou, mas ele sentiu os mamilos endurecerem na palma de sua mão esquerda quando ele a levantou para pegar os seios dela novamente.

Logo depois, bateu do outro lado com a da mão aberta, e desta vez não pôde deixar de perceber os gemidos de prazer dela, gemidos que aumentavam à medida que batia mais vezes.

Mas, por mais eróticos que fossem os tapas — e a reação dela —, ele teria que continuar esse jogo sexy uma outra hora. Marcus não entendia como não a havia lambido nas primeiras transas, mas precisava retificar isso neste exato segundo.

— Tire a mão do corrimão, sente-se com as costas nos degraus e abra as pernas.

Ela tremia de desejo no momento em que fez o que ele pediu, e, quando estava toda aberta diante dele, ele entregou-se de bom grado à vontade de passar os lábios sobre os seios dela, continuar descendo pelo abdômen firme e enfiar a língua no umbigo dela.

A primeira passada de língua sobre a pele escorregadia e excitada fez Nicole montar sobre a boca dele enquanto as mãos dela seguravam-lhe o cabelo. Ele enfiou dois dedos dentro dela e o calor escorregadio do sexo dela os envolveu, pulsando e apertando-os.

Ele se deixava levar suavemente pelos gemidos dela, fazendo o quadril dela se mexer sobre os dedos dele enquanto ela tentava, desesperadamente, chegar ao orgasmo.

— Amo você.

Ele provou que suas palavras eram verdadeiras tirando os dedos de dentro dela, devagar, depois os colocando de volta em seu sexo, que apertava e pulsava contra ele de forma tão maravilhosa, deixando-o quase louco só de pensar que teria seu pau enfiado no mesmo lugar dali a alguns segundos.

Marcus forçou os dedos novamente para dentro no mesmo momento em que abaixou a boca entre as pernas dela e cobriu-lhe a pele excitada com seus lábios. Ele curvou os dedos dentro dela até fazê-la arfar, arquear-se, implorar, gritar por mais.

Ele amou o jeito como ela se segurou nele quando se abriu para que ele lhe enfiasse a língua e os dedos.

— Ah, hummm, sua língua... — Ela inspirou tremulamente e olhou para ele daquela maneira, com aquela confiança que sabia que nunca se cansaria de ver. — E qual foi aquele ponto que você encontrou com seus dedos?

Ele sorriu diante da reação dela.

— Mostro para você de novo daqui a pouco.

Ela lambeu os lábios e disse:

— Sim, por favor. — E poucos segundos depois ele a carregava pelo restante do caminho escada acima, para deitá-la no meio de sua enorme cama. Ela se mexeu para alcançá-lo, mas ele balançou a cabeça.

— Não. Me deixe olhar para você. Não posso acreditar que tenho a garota mais linda do mundo na minha cama.

Ela enrubesceu, mas, desta vez, não tentou esconder nada dele: nem aquele corpo lindo... nem a beleza contida naquelas curvas lascivas, macias e enlouquecedoras.

Ele tirou as roupas e colocou uma camisinha antes de colocar-se sobre ela. E então os braços dela lhe envolveram os ombros e as pernas lhe entrelaçaram o quadril, e ele sabia que o restante das safadezas que gostaria de fazer com ela teria que esperar.

Porque, neste momento, tudo o que ele queria era fazer amor com a mulher por quem esperara uma vida toda.

— Me ame, Marcus — ela murmurou quando seus corpos se juntaram.

E, ah, como ele a amou.

Não só com seu corpo inteiro, não só com cada batida de seu coração... mas com as profundezas da alma.

O sol do meio-dia atravessava a janela do quarto de Marcus enquanto os dois sentavam-se nus sobre as cobertas, comendo o almoço de piquenique que ele preparara com o conteúdo minguado de sua geladeira.

Nicole nunca se sentira tão exausta — nem tão feliz — e, com o estômago saciado de comida e o corpo saciado de prazer, ela bocejou e deitou-se em uma de suas posições favoritas, a cabeça no colo de Marcus e uma das mãos entrelaçada à dele. Ela nunca mais queria ter que sair dali e parar de olhar para aquele rosto lindo.

Mas as longas horas da turnê — e as três rodadas de sexo acrobático que acabaram de fazer — a fizeram bocejar.

Ele sorriu para ela.

— Você realmente se cansa rápido para uma coisinha tão jovem, minha gatinha dorminhoca.

— Engraçadinho — ela disse com outro bocejo. — Eu estava prestes a dizer que você tem um nível surpreendente de estamina para um velhinho. — Ela sussurrou algumas estrofes do sucesso *My Old Man*, de Joni Mitchell, terminando a frase com "afastando minha melancolia solitária".

Ela adorou vê-lo rir e sussurrar a música com ela com uma voz desafinada. Olhando-o nos olhos, decidiu que era hora de admitir tudo para ele.

— Não afastei você de mim só por estar tentando salvar você do circo que é minha vida. — Quando a mão dele não parou de roçar os cabelos dela e nenhum músculo da perna dele tensionou-se embaixo dela, sabia que era seguro falar: — Isso foi uma grande parte de tudo, mas eu também estava com medo de confiar em alguém. Com medo de levar um tombo. Com tanto medo de me magoar de novo. Só que desta vez sabia que seria muito pior, porque eu amava você. Foi por isso que corri aquele dia na casa de sua mãe, porque pensei que me machucaria menos daquele jeito. Mas fugir só piorou as coisas.

— Também senti muito sua falta — ele confessou. — Mas não me sai da cabeça que, se você não tivesse fugido, eu não teria a chance de ir atrás de você.

Rapidamente, Marcus apagou qualquer chance de recriminação, de fazê-la sentir-se culpada ou egoísta pelo que fizera, fazendo-a queimar diante do pensamento pervertido de ser perseguida pelas vinhas e capturada de uma maneira deliciosa.

E, quando ele os mudou de posição de forma que seu corpo nu e sua boca ficassem sobre o dela, Nicole esqueceu-se do medo e entregou-se ao sentimento mais natural do mundo.

Ao amor puro e verdadeiro.

Naquela noite, sentada no banco de trás da limusine com Marcus, Nicole trajava um vestido fabuloso, que conseguia ser clássico, mas divertido e sensual ao mesmo tempo. Ela havia adorado passar o dia com o homem que amava, mas, quando o motorista parou em frente à mansão de Napa Valley onde seria evento, o pânico tomou conta dela.

— Este é o grande momento. Tem certeza de que está preparado para isso? Para não ser mais meu namorado secreto?

Em vez de responder com palavras, ele colocou as mãos dela sobre seu coração e então se inclinou para beijá-la.

— Desde que você esteja ao meu lado, estou pronto para absolutamente qualquer coisa.

E, no momento em que a porta se abriu para eles e as luzes dos flashes começaram a disparar, o beijo dele apagou o que ainda restava de suas preocupações... deixando, no lugar, a segurança e o prazer sem fronteiras.

EPÍLOGO

Nos dois meses seguintes, o tempo esfriou e as folhas mudaram de cor, caindo das árvores por todo o norte da Califórnia. Marcus percorria vários quilômetros de ônibus e avião enquanto Nicole fazia dezenas de shows em sua primeira parte da turnê pelos Estados Unidos. Ele ficava no vaivém entre Napa Valley e onde quer que seu amor estivesse. Pela primeira vez desde que comprara a vinícola, dez anos antes, deixou a maior parte dos detalhes da safra a cargo de sua equipe. Ellen recebeu uma promoção enorme, juntamente com um salário compatível com as novas responsabilidades.

Era início de dezembro quando Nicole e Marcus foram ao Corpo de Bombeiros. Todos os bombeiros e suas respectivas famílias estavam lá para conhecê-la.

Gabe apertou a mão do irmão, então abraçou Nicole demoradamente, sabendo que tiraria do sério o possessivo irmão mais velho. Gabe não se deu ao trabalho de segurar o riso enquanto disse:

— Obrigada por concordar em fazer o show, Nicole.

— É um prazer — ela disse antes de virar-se para o irmão dele. Ficando na ponta dos pés, ela deu um beijo no rosto de Marcus. — Está assustando as crianças com essa cara feia.

Marcus colocou a mão no queixo dela e voltou seu rosto para um beijo de verdade, que dizia: *Ela é minha* em alto e bom som para todos os homens na sala que, por acaso, ficassem confusos com relação a qual dos irmãos Sullivan Nicole estava namorando.

Gabe continuou a sorrir, mesmo com um incômodo no peito. Nos últimos meses, ele havia se acostumado a ver Chase, e agora Marcus, comprometidos. A mãe deles estava nas nuvens por causa dos relacionamentos dos filhos.

Jackie, a garota com quem Gabe saía sem compromisso, estava praticamente tremendo de animação diante da ideia de finalmente conhecer Nicole. Ela estava tentando ser convidada para o almoço de domingo na casa da mãe dele, não só para conhecer Nicole, mas Smith também. O problema era que Gabe não conseguia vê-la junto da família. Era jovem demais, apressada demais. Claro, Nicole era jovem também, mas havia um motivo para ela e Marcus se darem tão bem. Nicole era muito mais madura que outras garotas de 25 anos.

Especialmente Jackie, Gabe pensou, enquanto ela vinha em direção a eles com estrelas nos olhos.

Gabe sabia que havia ficado com ela por tempo demais. Decidindo rapidamente que terminaria com ela naquela noite, não estava feliz com a perspectiva de ver as lágrimas. Ela era uma chorona, o que, em parte, era o motivo pelo qual ele ainda não tivera coragem para terminar de uma vez por todas nas últimas semanas.

— Como acabou ficando com ela de novo? — Gabe perguntou a Marcus uma hora depois, enquanto estavam de lado observando Nicole encantar a pequena multidão que pagara muito dinheiro para vê-la apresentar-se em um curto show acústico no estacionamento do Corpo de Bombeiros. O dinheiro que arrecadariam naquele dia, com a ajuda dela, ajudaria a comprar novos equipamentos, cada vez mais difíceis de serem adquiridos devido aos cortes no orçamento.

Em vez de receber os louros, Marcus simplesmente respondeu:

— Sou o cara mais sortudo do mundo.

Ele apontou com a cabeça em direção a Jackie, bem na frente do grupo, claramente maravilhada pelas coisas que Nicole dizia ou fazia.

— E ela?

Gabe balançou a cabeça.

— Só uma coisa sem importância que já deveria ter acabado.

Nicole acabara de fazer a apresentação quando o alarme do Corpo de Bombeiros soou e, pelos alto-falantes, espalharam-se informações alertando-os para um incêndio em um apartamento.

Gabe e o restante da equipe imediatamente correram para colocar suas roupas de resgate e saíram, os alarmes estridentes tentando abrir espaço no trânsito congestionado da cidade.

— Uau, isso foi intenso. E eles nem chegaram ao incêndio ainda — Nicole disse minutos depois, quando ela e Marcus estavam juntos em um canto do prédio. — Não sei como sua mãe lida com isso tão bem. Estou muito aflita agora.

— Isso é o que o Gabe faz. Ele vai ficar bem — Marcus garantiu a ela.

Contudo, 15 minutos depois, após terem se despedido dos voluntários que ajudaram a organizar o show e estarem prestes a entrar no carro de Marcus para voltar a Napa, outro alarme soou.

— Todas as unidades respondendo à ocorrência na Rua Conrad, 1.280, cuidado. Aumentando o alarme para nível 3.

Nicole fitou Marcus com olhos arregalados.

— Este é o incêndio para onde o Gabe foi. Parece que piorou.

— Meu irmão é um ótimo bombeiro — Marcus disse a ela. — Não é o tipo de cara que faria qualquer coisa perigosa ou estúpida.

E, juntos, enquanto a sirene continuava a tocar e a voz repetia a chamada, ambos sabiam que havia muitas outras razões pelas quais os bombeiros se machucavam enquanto trabalhavam.

E tudo que podiam fazer era apoiarem-se mutuamente e esperar que Gabe se saísse bem.